L'ESPRIT DE L'ATHÉISME

André Comte-Sponville

L'ESPRIT DE L'ATHÉISME

Introduction à une spiritualité sans Dieu

Albin Michel

À Nancy Huston

Avant-propos

Le retour de la religion a pris, ces dernières années, une dimension spectaculaire, parfois inquiétante. On pense d'abord aux pays musulmans. Mais tout indique que l'Occident, dans des formes certes différentes, n'est pas à l'abri du phénomène. Retour de la spiritualité? On ne pourrait que s'en féliciter. Retour de la foi? Ce ne serait pas un problème. Mais le dogmatisme revient avec, trop souvent, et l'obscurantisme, et l'intégrisme, et le fanatisme parfois. On aurait tort de leur abandonner le terrain. Le combat pour les Lumières continue, il a rarement été aussi urgent, et c'est un combat pour la liberté.

Un combat contre la religion? Ce serait se tromper d'adversaire. Mais pour la tolérance, pour la laïcité, pour la liberté de croyance et d'incroyance. L'esprit n'appartient à personne. La liberté non plus.

J'ai été élevé dans le christianisme. Je n'en garde ni amertume ni colère, bien au contraire. Je dois à cette religion, donc aussi à cette Église (en l'occurrence la catholique), une part essentielle de ce que je suis, ou de ce que j'essaie d'être. Ma morale, depuis mes années pieuses, n'a guère changé. Ma sensibilité non plus. Même ma façon d'être athée reste marquée par cette foi de mon enfance et de mon adolescence. Pourquoi devrais-je en avoir honte ? Pourquoi devrais-je, même, m'en étonner ? C'est mon histoire, ou plutôt c'est la nôtre. Que serait l'Occident sans le christianisme ? Que serait le monde sans ses dieux ? Être athée, ce n'est pas une raison pour être amnésique. L'humanité est une : la religion en fait partie, l'irréligion aussi, et ni l'une ni l'autre n'y suffisent.

J'ai horreur de l'obscurantisme, du fanatisme, de la superstition. Je n'aime pas davantage le nihilisme et la veulerie. La spiritualité est une chose trop importante pour qu'on l'abandonne aux fondamentalistes. La tolérance, un bien trop précieux pour qu'on la confonde avec l'indifférence ou la mollesse. Rien ne serait pire que de nous laisser enfermer dans un face-à-face mortifère entre le fanatisme des uns – quelle que soit la religion dont ils se réclament – et le nihilisme des autres. Mieux vaut les combattre tous, sans les confondre et sans tomber dans leurs travers respectifs. La laïcité est le nom de ce combat. Reste, pour les athées, à inventer la spiritualité qui va avec. C'est à quoi cet ouvrage voudrait contribuer. Je l'ai voulu délibérément bref et accessible – pour aller plus vite à l'essentiel, et m'adresser au plus grand nombre. Il m'a semblé qu'il y avait urgence. L'érudition ou les querelles d'experts peuvent attendre ; la liberté de l'esprit, non.

L'essentiel ? S'agissant de spiritualité, il m'a paru tenir en

trois questions : Peut-on se passer de religion ? Dieu existe-
t-il ? Quelle spiritualité pour les athées ? Reste à y répondre.
Tel est l'objet de ce livre. Les athées n'ont pas moins d'esprit
que les autres. Pourquoi s'intéresseraient-ils moins à la vie
spirituelle ?

I

Peut-on se passer de religion ?

Commençons par le plus facile. Dieu, par définition, nous dépasse. Les religions, non. Elles sont humaines – trop humaines, diront certains –, et comme telles accessibles à la connaissance et à la critique.

Dieu, s'il existe, est transcendant. Les religions font partie de l'histoire, de la société, du monde (elles sont immanentes).

Dieu est réputé parfait. Aucune religion ne saurait l'être.

L'existence de Dieu est douteuse (ce sera l'objet de notre deuxième chapitre). Celle des religions ne l'est pas. Les questions qui se posent, à propos de ces dernières, sont donc moins ontologiques que sociologiques ou existentielles : il ne s'agit pas de savoir si les religions existent (elles donnent parfois le sentiment, hélas, qu'elles n'existent que trop !), mais ce qu'elles sont, et si l'on peut s'en passer. C'est surtout cette dernière question qui m'importe. Mais on ne peut y répondre sans aborder, ne serait-ce que brièvement, la première.

Qu'est-ce qu'une religion ?

La notion est tellement vaste, tellement hétérogène, qu'il est difficile d'en donner une définition tout à fait satisfaisante. Quoi de commun entre le chamanisme et le bouddhisme, entre l'animisme et le judaïsme, entre le taoïsme et l'islam, entre le confucianisme et le christianisme ? Peut-être a-t-on tort d'utiliser le même mot de « religion » dans tous ces cas ? Je ne suis pas loin de le penser. Plusieurs de ces croyances, notamment orientales, me semblent constituer un mélange de spiritualité, de morale et de philosophie, plutôt qu'une *religion*, au sens où nous prenons ordinairement le mot en Occident. Elles portent moins sur Dieu que sur l'homme ou sur la nature. Elles relèvent moins de la foi que de la méditation ; leurs pratiques sont moins des rites que des exercices ou des exigences ; leurs adeptes forment moins des Églises que des écoles de vie ou de sagesse. C'est le cas spécialement du bouddhisme, du taoïsme ou du confucianisme, du moins dans leur forme pure ou purifiée, je veux dire indépendamment des superstitions qui, en tout pays, viennent s'ajouter au corps de la doctrine, jusqu'à la rendre parfois méconnaissable. On a parlé à leur propos de religions athées ou agnostiques. L'expression, pour paradoxale qu'elle semble à nos oreilles d'Occidentaux, n'est pas sans quelque pertinence. Bouddha, Lao-tseu ou Confucius ne sont pas des dieux, ni ne se réclament d'aucune divinité, d'aucune révélation, d'aucun Créateur personnel ou transcendant. Ce ne sont que des hommes libres, ou libérés : ce ne sont que des sages ou des maîtres spirituels.

Mais laissons. Je ne suis ni ethnologue ni historien des religions. Je m'interroge, en philosophe, sur la possibilité de bien vivre sans religion. Cela suppose qu'on sache de quoi l'on parle. Nous avons besoin pour cela d'une définition, fût-elle approximative et provisoire. On cite souvent, parce qu'elle est éclairante, celle que donnait Durkheim, dans le premier chapitre des *Formes élémentaires de la vie religieuse* : « Une religion est un système solidaire de croyances et de pratiques relatives à des choses sacrées, c'est-à-dire séparées, interdites, croyances et pratiques qui unissent en une même communauté morale, appelée Église, tous ceux qui y adhèrent. » On peut en discuter certains points (le sacré n'est pas seulement interdit ou séparé, il est aussi vénérable ; la communauté des croyants n'est pas forcément une Église, etc.), mais guère, me semble-t-il, l'orientation générale. On remarquera qu'il n'y est pas question expressément d'un ou de plusieurs dieux. C'est que toutes les religions, constate Durkheim, n'en vénèrent pas : ainsi le jaïnisme, qui est athée, ou le bouddhisme, qui est « une morale sans Dieu et un athéisme sans Nature » (l'expression, citée par Durkheim, est d'Eugène Burnouf, grand indianiste du XIXe siècle). Tout théisme est religieux ; toute religion n'est pas théiste.

La définition de Durkheim, centrée sur les notions de *sacré* et de *communauté*, présente ainsi ce qu'on peut appeler le sens large, sociologique ou ethnologique, du mot « religion ». M'inscrivant, puisque c'est mon histoire, dans un univers monothéiste, et spécialement dans le champ de la philosophie occidentale, je proposerais volontiers un sens plus restreint, moins ethnologique que théologique ou métaphysique, et qui ferait comme un sous-ensemble du premier : une religion, dans nos pays, c'est presque toujours une croyance en une ou plusieurs divinités. Si l'on veut rassembler ces deux sens, comme la langue y pousse, mais sans les confondre, cela donne la définition suivante, qui reprend et prolonge celle de Durkheim : *J'appelle « religion » tout ensemble organisé de croyances et de rites portant sur des choses sacrées, surnaturelles ou transcendantes (c'est le sens large du mot), et spécialement sur un ou plusieurs dieux (c'est le sens restreint), croyances et rites qui unissent en une même communauté morale ou spirituelle ceux qui s'y reconnaissent ou les pratiquent.*

Le bouddhisme originel était-il une *religion*, en ce sens ? Je n'en suis pas certain. Le Bouddha n'affirmait l'existence d'aucune divinité, et il est douteux que les mots « sacré », « surnaturel » ou « transcendant » aient correspondu, pour lui et pour ses adeptes les moins superstitieux, à quelque réalité que ce soit. Mais il est clair que le bouddhisme historique, dans ses différents courants, est *devenu* une religion – avec ses temples, ses dogmes, ses rites, ses prières, ses objets sacrés ou prétendument surnaturels. Même chose, ou peu s'en faut, pour le taoïsme ou le confucianisme. Quelle sagesse à l'origine ! Que de superstitions au fil des âges ! Le besoin de croire tend à l'emporter, presque partout, sur le désir de liberté.

Le moins que l'on puisse dire, c'est que l'Occident n'y échappe pas. Il eut, lui aussi, ses écoles de sagesse. Mais qui seront vite recouvertes par la religiosité qu'elles avaient prétendu, un temps, mettre à distance. Foi et raison, *muthos* et *logos* coexistent, et c'est ce qu'on appelle une civilisation. Les nôtres se sont nourries, pendant des siècles, de transcendance. Comment n'en resteraient-elles pas marquées ? L'animisme, dans nos pays, est mort. Le polythéisme est mort. Je n'en ai aucune nostalgie, bien au contraire ! C'est un premier pas, montre Max Weber, vers la rationalisation du réel. La nature est comme vidée de dieux : il reste le vide du désert, comme disait Alain, et « la formidable absence, partout présente ». Celle-là reste bien vivante. Le judaïsme, le christianisme et l'islam sont évidemment des religions, au sens strict que je viens de définir. Et ce sont d'abord, pour nos pays, ces trois monothéismes qui importent.

Un témoignage personnel

Peut-on se passer de religion ? Cela dépend évidemment de qui l'on parle. Quel est ce « *on* » ?

S'agit-il des individus ? Alors, je ne peux qu'apporter mon propre témoignage : de religion, pour ma part, je me passe fort bien !

Je sais de quoi je parle, en tout cas je peux comparer. Je n'ai pas seulement été élevé dans le christianisme ; j'ai cru en Dieu, d'une foi bien vive, quoique traversée de doutes, jusque vers dix-huit ans. Puis j'ai perdu la foi, et ce fut comme une libération : tout devenait plus simple, plus léger, plus ouvert, plus fort! C'était comme si je sortais de l'enfance, de ses rêves et de ses frayeurs, de ses moiteurs, de ses langueurs, comme si j'entrais enfin dans le monde réel, celui des adultes, celui de l'action, celui de la vérité sans pardon et sans Providence. Quelle liberté! Quelle responsabilité! Quelle jubilation! Oui, j'ai le sentiment de vivre mieux – plus lucidement, plus librement, plus intensément – depuis que je suis athée. Cela, toutefois, ne saurait valoir comme loi générale. Plusieurs convertis pourraient témoigner en sens inverse, constatant qu'ils vivent mieux depuis qu'ils ont la foi, comme beaucoup de croyants, même partageant depuis toujours la religion de leurs parents, pourraient attester qu'ils lui doivent le meilleur de leur existence. Qu'en conclure, sinon que nous sommes différents? Ce monde me suffit : je suis athée et content de l'être. Mais d'autres, sans doute plus nombreux, ne sont pas moins satisfaits d'avoir la foi. C'est peut-être qu'ils ont besoin d'un Dieu pour se consoler, pour se rassurer, pour échapper (tel est le sens, chez Kant, des « postulats de la raison pratique ») à l'absurde et au désespoir, ou simplement pour donner une cohérence à leur vie – parce que la religion correspond à leur expérience la plus haute, qu'elle soit affective ou spirituelle, à leur sensibilité, à leur éducation, à leur histoire, à leur pensée, à leur joie, à leur amour... Toutes ces raisons sont respectables. « Notre besoin de consolation est impossible à rassasier », disait Stig Dagerman. Notre besoin d'amour aussi, notre besoin de protection aussi, et chacun, face à ces besoins, se débrouille comme il peut. Miséricorde à tous.

Deuils et rituels

La plus grande force des religions ? Ce n'est pas, contrairement à ce qu'on dit souvent, de rassurer les croyants, face à leur propre mort. La perspective de l'enfer est plus inquiétante que celle du néant. C'était d'ailleurs le principal argument d'Épicure, contre les religions de son temps : elles donnent à la mort une réalité qu'elle n'a pas, enfermant ainsi les vivants, absurdement, dans la peur d'un danger purement fantasmatique (l'enfer), qui vient leur gâter jusqu'aux plaisirs de l'existence. Contre quoi Épicure enseignait que « la mort n'est rien », ni pour les vivants, puisqu'elle n'est pas là tant qu'ils vivent, ni pour les morts, puisqu'ils ne sont plus. Avoir peur de la mort, c'est donc avoir peur de rien. Cela ne supprime pas l'angoisse (que nos psychiatres définissent justement comme une peur sans objet réel), mais la met à sa place et aide à la surmonter. C'est l'imagination en nous qui s'effraie. C'est la raison qui rassure. Du néant, à le penser strictement, il n'y a par définition rien à craindre. Quoi de plus effrayant, à l'inverse, que la perspective d'une damnation éternelle ? Il est vrai que beaucoup de chrétiens ont cessé d'y croire. L'enfer ne serait qu'une métaphore ; le paradis seul serait à prendre au pied de la lettre. On n'arrête pas le progrès.

19

Les athées n'ont pas de ces soucis. Ils s'acceptent mortels, comme ils peuvent, et s'efforcent d'apprivoiser le néant. Y parviendront-ils ? Ils ne s'en inquiètent pas trop. La mort emportera tout, jusqu'aux angoisses qu'elle leur inspire. La vie terrestre leur importe davantage, et leur suffit.

Reste la mort des autres, et elle est autrement réelle, autrement douloureuse, autrement insupportable. C'est là que l'athée est le plus démuni. Cet être qu'il aimait plus que tout – son enfant, son parent, son conjoint, son meilleur ami –, voilà que la mort le lui arrache. Comment n'en serait-il pas déchiré ? Aucune consolation pour lui, aucune compensation, juste ce petit peu d'apaisement parfois : l'idée que l'autre, au moins, ne souffrira plus, qu'il n'a pas, lui, à supporter cette horreur, cet arrachement, cette atrocité... Il faudra beaucoup de temps pour que la douleur s'atténue, peu à peu, pour qu'elle devienne supportable, pour que le souvenir de celui qu'on a perdu, de plaie ouverte qu'il était d'abord, se transforme progressivement en nostalgie, puis en douceur, puis en gratitude, presque en bonheur... On se disait : « Comme c'est atroce qu'il ne soit plus ! » Puis les années passent, et voilà qu'on se dit : « Comme c'est bien qu'il ait vécu, que nous nous soyons rencontrés, connus, aimés ! » Travail du deuil : travail du temps et de la mémoire, de l'acceptation et de la fidélité. Mais sur le coup, c'est évidemment impossible. Il n'y a que l'horreur ; il n'y a que la souffrance ; il n'y a que l'inconsolable. Comme on aimerait, alors, croire en Dieu ! Comme on envie, parfois, ceux qui y croient ! Reconnaissons-le : c'est le point fort des religions, où elles sont à peu près imbattables. Est-ce une raison de croire ? Pour certains, sans doute. Pour d'autres, dont je suis, c'en serait une plutôt de s'y refuser, tant la ficelle, comme on dit, est grosse, ou simplement par fierté, par rage, par désespoir. Ceux-là en sont, malgré la douleur, comme renforcés dans leur athéisme. La révolte, face au pire, leur paraît plus juste que la prière. L'horreur, plus vraie que la consolation. La paix, pour eux, viendra plus tard. Le deuil n'est pas une course de vitesse.

Il y a autre chose, qui ne relève plus de la pensée mais des actes, en tout cas des gestes, et d'une certaine façon, bien précieuse, de les accomplir ensemble. Ce que la religion apporte, lorsqu'on a perdu un être cher, ce n'est pas seulement une consolation possible ; c'est aussi un rituel nécessaire, un cérémonial, même sans faste, comme une politesse ultime, face à la mort de l'autre, qui aiderait à l'affronter, à l'intégrer (aussi bien psychologiquement que socialement), enfin à l'accepter, puisqu'il faut bien en venir là, ou en tout cas à la vivre. Une veillée funèbre, une oraison, des chants, des prières, des symboles, des attitudes, des rites, des sacrements... C'est une façon d'apprivoiser l'horreur, de l'humaniser, de la civiliser, et sans doute il le faut. On n'enterre pas un homme comme une bête. On ne le brûle pas comme une bûche. Le rituel marque cette différence, il la souligne, il la confirme, et c'est ce qui le rend presque indispensable. Ainsi fait le mariage, pour ceux qui le jugent nécessaire, face à l'amour ou au sexe. Ainsi les funérailles, face à la mort.

Rien n'empêche les athées de chercher l'équivalent, et ils

le font en effet. C'est le cas, depuis longtemps et avec des succès inégaux, s'agissant des noces. Le mariage civil, lorsqu'il n'est pas bâclé, offre un substitut acceptable. Il s'agit d'officialiser le plus intime, le plus secret, le plus sauvage, d'y associer les familles, les amis, la société elle-même. La mairie peut y suffire. La fête peut y suppléer. Mais s'agissant de la mort? Il arrive, certes, que les obsèques soient purement civiles : un enterrement ou une crémation n'ont pas besoin, en tant que tels, de religion. Le recueillement pourrait suffire. Le silence et les larmes pourraient suffire. Force est pourtant de reconnaître que c'est rarement le cas : nos funérailles laïques ont presque toujours quelque chose de pauvre, de plat, de factice, comme une copie qui ne saurait faire oublier l'original. C'est peut-être une question de temps. On ne remplace pas en un tournemain 2 000 ans d'émotion et d'imaginaire. Mais il y a sans doute davantage. La force de la religion, dans ces moments-là, n'est pas autre chose que notre propre faiblesse face au néant. C'est ce qui la rend nécessaire, pour beaucoup. Ils se passeraient à la rigueur d'espérance, pour eux-mêmes. Mais point de consolations ni de rites, lorsqu'un deuil trop atroce les frappe. Les Églises sont là pour eux. Elles ne sont pas près de disparaître.

« Je crois en Dieu, me dit un jour une lectrice, parce qu'autrement ce serait trop triste. » Cela, qui n'est certes pas un argument (« il se pourrait que la vérité fût triste », disait Renan), doit pourtant être pris en considération. Je m'en voudrais de faire perdre la foi à ceux qui en ont besoin, ou simplement qui vivent mieux grâce à elle. Ils sont innombrables. Quelques-uns sont admirables (reconnaissons qu'il y a davantage de saints chez les croyants que chez les athées ; cela ne prouve rien quant à l'existence de Dieu, mais interdit de mépriser la religion), la plupart sont estimables. Leur foi ne me dérange en rien. Pourquoi devrais-je la combattre ? Je ne fais pas de prosélytisme athée. J'essaie simplement d'expliquer ma position, de l'argumenter, et plus par amour de la philosophie que par haine de la religion. Il y a des esprits libres dans les deux camps. C'est à eux que je m'adresse. Je laisse les autres, croyants ou athées, à leurs certitudes.

Peut-on se passer de religion ? On voit que la réponse, d'un point de vue individuel, est à la fois simple et nuancée : il y a des individus, j'en fais partie, qui s'en passent fort bien, dans la vie ordinaire, ou comme ils peuvent, lorsqu'un deuil les frappe. Cela ne signifie pas que tous le puissent ou le doivent. L'athéisme n'est ni un devoir ni une nécessité. La religion non plus. Il ne nous reste qu'à accepter nos différences. La tolérance, à notre question ainsi entendue, est la seule réponse satisfaisante.

Aucune société ne peut se passer de communion...

Mais le « *on* », en français, peut désigner également une collectivité, une société, voire l'humanité dans son ensemble. Notre question prend alors un sens tout différent, moins individuel que sociologique. Elle revient à demander : une société peut-elle se passer de religion ?

Tout dépend ici non plus *de qui*, mais *de quoi* l'on parle – tout dépend de ce qu'on entend par « religion ». Si le mot est entendu en son sens occidental et restreint, comme la croyance en un Dieu personnel et créateur, alors la question est historiquement résolue : une société peut se passer de religion. Le confucianisme, le taoïsme et le bouddhisme en ont fait la preuve depuis longtemps, qui ont inspiré d'immenses sociétés, d'admirables civilisations, parmi les plus anciennes de celles qui sont encore vivantes aujourd'hui, parmi les plus raffinées, y compris d'un point de vue spirituel, et qui ne reconnaissent aucun Dieu de ce type.

En revanche, si l'on prend le mot « religion » en son sens large ou ethnologique, la question reste ouverte. L'histoire, aussi loin qu'on remonte dans le passé, ne connaît pas de société qui en ait été totalement dépourvue. Le XXe siècle ne fait pas exception. Le nazisme se réclamait de Dieu *(« Gott mit uns »)*. Quant aux exemples de l'URSS, de l'Albanie ou de la Chine communiste, ils sont peu concluants, c'est le moins qu'on puisse dire, et d'ailleurs pas tout à fait dépourvus d'une composante messianique ou idolâtre (on a parlé à leur propos, non sans raisons, d'une « religion de l'Histoire »). Comme ils ont au demeurant duré trop peu de temps pour constituer vraiment une civilisation, et même – heureusement ! – pour détruire tout à fait les civilisations qui les avaient vu naître, force nous est de constater qu'on ne connaît pas de grande civilisation sans mythes, sans rites, sans sacré, sans croyances en certaines forces invisibles ou surnaturelles, bref sans religion, au sens large ou ethnologique du terme. Faut-il en conclure qu'il en sera toujours ainsi ? Ce serait aller trop loin, ou trop vite. Il en va de la spiritualité comme des cours de la Bourse : les résultats passés ne préjugent pas des résultats à venir. J'ai pourtant tendance à penser que, dans plusieurs siècles, disons en l'an 3 000, il y aura toujours des religions, et toujours des athées. Dans quelles proportions ? Qui le sait ? Ce n'est d'ailleurs pas le plus important. Il s'agit moins de prévoir que de comprendre.

L'étymologie, quoiqu'elle soit en l'occurrence douteuse, ou peut-être parce qu'elle l'est, peut nous y aider.

Quelle est l'origine, commune à la plupart des langues occidentales, du mot « religion » ? Deux réponses se font concurrence, dans l'histoire des idées, que la linguistique moderne, à ma connaissance, n'a pas réussi tout à fait à départager. Aucune n'est certaine. Les deux sont éclairantes. Et l'hésitation, entre l'une et l'autre, l'est encore davantage.

La plus fréquemment avancée me semble la plus douteuse. Plusieurs auteurs, depuis Lactance ou Tertullien, pensent que le latin *religio* (d'où vient bien sûr « religion ») vient du verbe *religare*, qui signifiait « relier ». L'hypothèse, qu'on présente souvent comme une évidence, débouche sur une certaine conception du fait religieux : la religion, dit-on alors, c'est ce qui *relie*. Cela ne prouve pas que le seul lien social possible soit la croyance en Dieu. L'histoire, je n'y reviens pas, a prouvé le contraire. Il n'en reste pas moins qu'aucune société ne peut se passer de lien, ou de liant. Dès lors, si tout lien est supposé religieux, comme le suggère cette étymologie, aucune société ne peut se passer de religion. C.Q.F.D. Mais c'est moins une démonstration qu'une tautologie (si les deux mots « religion » et « lien » sont synonymes) ou un sophisme (s'ils ne le sont pas). Une étymologie, même avérée, ne prouve rien (pourquoi la langue aurait-elle raison ?) ; et celle-ci, en l'occurrence, est douteuse. Surtout, présupposer que tout lien est religieux, c'est vider le concept de *religion* de tout sens raisonnablement précis et opératoire. L'intérêt aussi nous relie, spécialement dans une société marchande ; ce n'est pas une raison pour le sacraliser, ni pour faire du marché une religion.

Il est vrai, dans les différents monothéismes, que les gens sont reliés *entre eux* (horizontalement, si l'on peut dire), parce qu'ils ont tous le sentiment d'être reliés *à Dieu* (verticalement). C'est comme la chaîne et la trame du tissu religieux. La communauté des croyants – le Peuple élu, l'Église ou l'*Umma* – est d'autant plus forte que ce double lien est plus solide. Mais quel est, pour les sciences humaines, son contenu effectif ? Ce ne peut être qu'un phénomène humain, à la fois psychologique, historique et social. Ce qui relie les croyants entre eux, du point de vue d'un observateur extérieur, ce n'est pas Dieu, dont l'existence est douteuse, c'est qu'ils communient dans la même foi. Tel est d'ailleurs, selon Durkheim et la plupart des sociologues, le vrai contenu de la religion, ou sa principale fonction : elle favorise la cohésion sociale en renforçant la communion des consciences et l'adhésion aux règles du groupe. La peur du gendarme ou du qu'en-dira-t-on ne suffit pas. La convergence des intérêts ne suffit pas. Elles sont d'ailleurs l'une et l'autre inconstantes (il n'y a pas toujours de témoin, et les intérêts s'opposent au moins aussi souvent qu'ils convergent). On a besoin d'autre chose : d'une cohésion plus profonde, plus essentielle, plus durable, parce que plus intérieure ou plus intériorisée. C'est ce que j'appelle la communion. Comment une société pourrait-elle s'en passer ? Ce serait renoncer à faire lien, à faire communauté, donc à elle-même. Car c'est la communion qui fait la communauté, bien davantage que l'inverse : ce n'est pas parce qu'il y a une communauté déjà constituée par ailleurs qu'il y a communion ; c'est plutôt parce qu'il y a communion qu'il y a communauté, et non un simple conglomérat d'individus juxtaposés ou concurrents. Un peuple est plus et mieux qu'une horde. Une société, plus et mieux qu'une multitude.

Reste alors à savoir ce que c'est qu'une communion... Voici ma définition : *Communier, c'est partager sans diviser.* Cela semble paradoxal. S'agissant de biens matériels, de fait, c'est impossible. On ne peut pas communier *en un gâteau*, par exemple, car la seule façon de le partager, c'est de le diviser. Plus vous serez nombreux, plus les parts de chacun seront petites ; et si l'un d'entre vous en a plus, les autres en auront moins. Dans une famille ou un groupe d'amis, en revanche, les convives peuvent communier dans le plaisir qu'ils ont à manger ensemble un très bon gâteau : tous partagent la même délectation, mais sans avoir besoin pour cela de la diviser. Si nous mangeons ce gâteau à cinq ou six, le plaisir n'est en rien amputé par rapport au plaisir qu'il y aurait à le manger tout seul. Au contraire, il en est plutôt augmenté : le plaisir de chacun, entre amis, est comme redoublé par le plaisir de tous ! Les ventres, certes, auront une part plus petite. Mais les esprits, un plaisir plus grand, une joie plus grande, comme augmentée, paradoxalement, par le partage. C'est pourquoi on parle de communion des esprits – parce que seul l'esprit sait partager sans diviser.

Il en va de même, *mutatis mutandis*, à l'échelle d'une société ou d'un État. On ne communie pas dans le budget national, du moins pas d'un point de vue comptable : si l'on affecte davantage de ressources à l'agriculture, il y en aura moins pour l'éducation ou l'industrie ; si on en donne plus aux chômeurs, il y en aura moins pour les salariés ou les retraités, etc. En revanche, dans une société démocratique et douée de cohésion, comme il faut qu'elle le soit, on peut communier dans l'amour de la patrie, de la justice, de la liberté, de la solidarité, bref dans un certain nombre de valeurs communes, qui donnent un sens à ce budget et en font autre chose qu'une simple question de rapport de forces, de *lobbying* ou d'arithmétique. Et que chacune de ces valeurs soit partagée par un grand nombre d'individus, comme c'est évidemment souhaitable, cela ne diminue en rien son importance pour chacun. Au contraire ! Chaque individu y est d'autant plus attaché qu'il sait que d'autres, qui font partie de la même communauté que lui, le sont également. Le sentiment d'appartenance et la cohésion vont ensemble. C'est ce qu'on appelle une culture ou une civilisa-

tion : une communion des esprits – historiquement et socialement déterminée – à l'échelle d'un ou plusieurs peuples.
Il n'y aurait pas de peuple autrement. Il n'y aurait que des
individus. Il n'y aurait pas de société autrement. Il n'y aurait
que des foules et des rapports de forces.

Un peuple est une communauté. Cela suppose que les
individus qui le composent *communient* en quelque chose.
Cette communion a beau être toujours inégale et relative,
toujours conflictuelle (la civilisation n'est pas un long fleuve
tranquille), toujours fragile et provisoire (aucune civilisation n'est immortelle), elle n'en est pas moins nécessaire, ou
plutôt elle ne l'est que davantage. Aucune société, sans elle,
ne pourrait se développer, ni même subsister. La loi ne peut
pas tout. La répression ne peut pas tout. On ne va pas mettre
un policier derrière chaque individu... D'ailleurs, si tel était
le cas, qui mettrait-on derrière les policiers ? La démocratie
est une grande chose. L'ordre public est une grande chose.
Mais qui ne tiennent lieu ni l'une ni l'autre de la communion qu'elles supposent.

Pas de société sans lien : pas de société sans communion.
Cela ne prouve pas que toute communion, ni donc toute
société, nécessite la croyance en un Dieu personnel et créateur,
ni même en des forces transcendantes ou surnaturelles. En
quelque chose de sacré ? C'est une question de définition.

Si l'on entend par *sacré* ce qui a rapport au surnaturel
ou au divin, cela nous renvoie au cas précédent, et rien n'interdit qu'une société moderne puisse avantageusement s'en
passer. Une élection vaut mieux qu'un sacre ; le progrès vaut

mieux qu'un sacrement ou qu'un sacrifice (au sens où l'on sacrifiait un animal ou un être humain, dans plusieurs civilisations antiques, pour amadouer les puissances invisibles). Agamemnon, pour obtenir des dieux un vent favorable, fit égorger sa fille Iphigénie. Qu'est-ce d'autre, à nos yeux, qu'un crime doublé de superstition ? L'histoire est passée par là, et c'est tant mieux. Les Lumières sont passées par là. Un grigri, pour nous, relève de la superstition davantage que de la spiritualité ; un holocauste, de l'horreur davantage que de la religion.

En revanche, si l'on entend par *sacré* ce qui a une valeur absolue, ou qui semble tel, ce qui s'impose de façon inconditionnelle, ce qui ne peut être violé sans sacrilège ou sans déshonneur (au sens où l'on parle du caractère sacré de la personne humaine, du devoir sacré de défendre la patrie ou la justice, etc.), il est vraisemblable qu'aucune société ne puisse durablement s'en passer. Le sacré, pris en ce sens, c'est ce qui peut justifier, parfois, qu'on se sacrifie pour lui. Ce n'est plus le sacré du sacrificateur (qui sacrifie les autres) ; c'est celui du héros (qui se sacrifie lui-même) ou des braves gens (qui seraient prêts, peut-être, à le faire). Disons que c'est la dimension de verticalité, d'absolu ou d'exigence (selon les mots qu'on voudra utiliser) de l'espèce humaine, dimension qui fait de nous – grâce à la civilisation – autre chose et plus que des animaux. On ne peut évidemment que s'en réjouir. Mais cela ne requiert aucune métaphysique particulière, ni aucune foi proprement religieuse ! L'humanité, la liberté ou la justice ne sont pas des entités surnaturelles. Aussi un athée peut-il les respecter – voire se sacrifier pour elles –, au même titre qu'un croyant. Un idéal n'est pas un Dieu. Une morale ne fait pas une religion.

Concluons, sur ce point. Aucune société ne peut se passer de communion ; mais (sauf à définir la religion par la communion, ce qui rendrait l'un de ces deux mots inutile) toute communion n'est pas religieuse : on peut communier dans autre chose que dans le divin ou le sacré. C'est surtout la réciproque qui m'importe : une société peut assurément se passer de dieu(x), et peut-être de religion ; aucune ne peut se passer durablement de communion.

... ni de fidélité

La deuxième étymologie possible me paraît la plus vraisemblable. Beaucoup de linguistes pensent, comme déjà Cicéron, que *religio* vient plutôt de *relegere*, qui pouvait signifier « recueillir » ou « relire ». En ce sens, la religion n'est pas, ou pas d'abord, ce qui *relie*, mais ce qu'on *recueille* et *relit* (ou ce qu'on relit avec recueillement) : des mythes, des textes fondateurs, un enseignement (c'est l'origine en hébreu du mot *Torah*), un savoir (c'est le sens en sanskrit du mot *Véda*), un ou plusieurs livres (*Biblia* en grec), une lecture ou une récitation (*Coran* en arabe), une Loi (*Dharma* en sanskrit), des principes, des règles, des commandements (le Décalogue, dans l'Ancien Testament), bref une révélation ou une tradition, mais assumée, respectée, intériorisée, à la fois individuelle et commune (c'est où les deux étymologies possibles peuvent se rejoindre : relire, même séparément, les mêmes textes, cela crée du lien), ancienne et toujours actuelle, intégratrice (à un groupe) et structurante (pour l'individu comme pour la communauté). La religion, selon cette étymologie, doit moins à la sociologie qu'à la philologie : c'est l'amour d'une Parole, d'une Loi ou d'un Livre – d'un *Logos*.

Le lien n'en existe pas moins, mais il est plutôt diachronique que synchronique : il relie le présent au passé, les vivants aux morts, la piété à la tradition ou à la Révélation. Toute religion est *archaïque*, au triple sens étymologique et non péjoratif du mot · c'est un commencement *(arkhê)* ancien *(arkhaios)* qui commande *(arkhein)*. « D'où nous viendra la renaissance ? », demandait Simone Weil. Et elle répondait : « Du passé seul, si nous l'aimons. » On aurait tort d'y voir un programme politique réactionnaire. Il ne s'agit pas de politique. Il s'agit de spiritualité. Il s'agit de civilisation. C'est le contraire de la barbarie, qui veut faire table rase du passé. C'est le contraire de l'inculture, qui ne connaît que le présent. « L'esprit, c'est la mémoire », disait saint Augustin. Cela vaut pour les peuples comme pour les individus.

Une religion, si l'on se fie à ce que suggère cette étymologie, relève moins de la *communion* (qui relie) que de ce que j'appelle la *fidélité* (qui recueille et relit), ou plutôt elle ne relève de celle-là qu'à proportion de celle-ci. C'est en recueillant-répétant-relisant les mêmes paroles, mythes ou textes (selon qu'il s'agit de cultures orales ou écrites) qu'on finit par communier dans les mêmes croyances ou les mêmes idéaux. Le *relegere* produit le *religare*, ou le rend possible : nous relisons, donc nous nous relions. Le lien ne se crée (à chaque génération) qu'à la condition d'abord de se transmettre (*entre* les générations). C'est en quoi la civilisation toujours se précède elle-même. On ne peut se recueillir ensemble (communier) que là où quelque chose, d'abord, a été recueilli, enseigné, répété ou relu. Pas de société sans éducation. Pas de civilisation sans transmission. Pas de communion sans fidélité.

Je prends ce mot de « fidélité » à dessein, parce qu'il est en français le doublet, comme disent les linguistes, d'un autre mot, qui est le mot « foi » : les deux vocables ont la même origine étymologique, en l'occurrence le latin *fides*, mais bien sûr, en français moderne, deux sens différents. Cette origine commune et cette évolution divergente m'éclairent l'une et l'autre. J'y reconnais quelque chose de notre histoire, et de la mienne. La fidélité, c'est ce qui reste de la foi quand on l'a perdue. J'en suis là. Je ne crois plus en Dieu, depuis fort longtemps. Notre société, en tout cas en Europe, y croit de moins en moins. Est-ce une raison pour jeter le bébé, comme on dit familièrement, avec l'eau du bain ? Faut-il renoncer, en même temps qu'au Dieu socialement défunt (comme pourrait dire un sociologue nietzschéen), à toutes ces valeurs – morales, culturelles, spirituelles – qui se sont dites en son nom ? Que ces valeurs soient nées, historiquement, dans les grandes religions (spécialement dans les trois grands monothéismes, pour ce qui concerne nos civilisations), nul ne l'ignore. Qu'elles aient été transmises, pendant des siècles, par la religion (spécialement, dans nos pays, par les Églises catholiques et protestantes), nous ne sommes pas près de l'oublier. Mais cela ne prouve pas que ces valeurs aient besoin d'un Dieu pour subsister. Tout prouve, au contraire, que c'est nous qui avons besoin d'elles – besoin d'une morale, d'une communion, d'une fidélité – pour pouvoir subsister d'une façon qui nous paraisse humainement acceptable.

La foi est une croyance ; la fidélité, au sens où je prends le mot, est plutôt un attachement, un engagement, une reconnaissance. La foi porte sur un ou plusieurs dieux ; la fidélité, sur des valeurs, une histoire, une communauté. La première relève de l'imaginaire ou de la grâce ; la seconde, de la mémoire et de la volonté.

Foi et fidélité peuvent bien sûr aller de pair : c'est ce que j'appelle la piété, vers quoi tendent, légitimement, les croyants. Mais on peut aussi avoir l'une sans l'autre. C'est ce qui distingue l'impiété (l'absence de foi) du nihilisme (l'absence de fidélité). On aurait tort de les confondre ! Quand on n'a plus la foi, il reste la fidélité. Quand on n'a plus ni l'une ni l'autre, il ne reste que le néant ou le pire.

Sincèrement, est-ce que vous avez besoin de croire en Dieu pour penser que la sincérité vaut mieux que le mensonge, que le courage vaut mieux que la lâcheté, que la générosité vaut mieux que l'égoïsme, que la douceur et la compassion valent mieux que la violence ou la cruauté, que la justice vaut mieux que l'injustice, que l'amour vaut mieux que la haine ? Bien sûr que non ! Si vous croyez en Dieu, vous reconnaissez en Dieu ces valeurs ; ou vous reconnaissez Dieu, peut-être, en elles. C'est la figure traditionnelle : votre foi et votre fidélité vont ensemble, et ce n'est pas moi qui vous le reprocherai. Mais ceux qui n'ont pas la foi, pourquoi seraient-ils incapables de percevoir la grandeur humaine de ces valeurs, leur importance, leur nécessité, leur fragilité, leur urgence, et de les respecter à ce titre ?

Faisons une expérience de pensée. Je m'adresse ici aux croyants qui ont, comme moi, de grands enfants (les miens sont de jeunes adultes). Imaginez que vous perdiez la foi. Après tout, cela se peut... Il est vraisemblable que vous aurez à cœur d'en parler à vos proches, par exemple autour de la table familiale, et spécialement à vos enfants. Mais pour leur dire quoi ? Si foi et fidélité étaient indissociables, comme certains le prétendent, il faudrait leur tenir à peu près ce langage : « Les enfants, il s'est produit en moi un changement étonnant : je ne crois plus en Dieu ! En conséquence de quoi je tiens à vous dire solennellement que toutes les valeurs que je me suis efforcé de vous transmettre, durant votre enfance et votre adolescence, doivent être considérées par vous comme nulles et non avenues : c'était du pipeau ! » Reconnaissons que cette position, même abstraitement possible, est très improbable. Dans ce genre de situation, il est à peu près certain que vous tiendriez un discours fort différent, et même opposé, qui pourrait ressembler plus ou moins à celui-ci : « Les enfants, il faut que je vous dise quelque chose d'important : j'ai perdu la foi, je ne crois plus en Dieu ! Mais bien sûr, s'agissant des valeurs que j'ai essayé de vous transmettre, cela ne change rien : je compte sur vous pour continuer de les respecter ! » Lequel, parmi les croyants, ne trouve pas ce second discours plus satisfaisant – d'un point de vue moral, et même d'un point de vue religieux – que le premier ? Faudrait-il, parce qu'on ne croit plus en Dieu, devenir un lâche, un hypocrite, un salaud ? Bien sûr que non ! La foi ne suffit pas toujours – hélas ! – à la fidélité. Mais l'absence de foi n'en dispense aucunement. Au reste la foi, en bonne théologie, est une grâce, qui vient de Dieu. La fidélité serait plutôt une charge (mais libératrice), à quoi l'humanité suffit. On peut, sans déchoir, se passer de la première, point de la seconde. Qu'on ait ou pas une religion, la morale n'en continue pas moins, humainement, de valoir.

Quelle morale ? Nous n'avons guère le choix. Même humaine et relative, comme je le crois, la morale ne relève ni d'une décision ni d'une création. Chacun ne la trouve en lui qu'autant qu'il l'a reçue (et peu importe au fond que ce soit de Dieu, de la nature ou de l'éducation) et ne peut en critiquer tel ou tel aspect qu'au nom de tel ou tel autre (par exemple la morale sexuelle au nom de la liberté individuelle, la liberté au nom de la justice, etc.). Toute morale vient du passé : elle s'enracine dans l'histoire, pour la société, et dans l'enfance, pour l'individu. C'est ce que Freud appelle le *surmoi*, qui représente le passé de la société, disait-il, au même titre que le *ça* représente le passé de l'espèce. Cela ne nous empêche pas de critiquer la morale de nos pères (au reste la libre critique fait partie des valeurs qu'ils nous ont transmises), d'innover, de changer ; mais nous savons bien que nous ne pourrons le faire valablement qu'en nous appuyant sur ce que nous avons reçu – qu'il s'agit moins d'abolir, comme disent les Écritures, que d'accomplir.

Nihilisme et barbarie

Le nihilisme fait le jeu des barbares. Mais il y a deux types de barbarie, qu'il importe de ne pas confondre : l'une, irréligieuse, n'est qu'un nihilisme généralisé ou triomphant ; l'autre, fanatisée, prétend imposer sa foi par la force. Le nihilisme mène à la première, et laisse le champ libre à la seconde.

La barbarie nihiliste est sans programme, sans projet, sans idéologie. Elle n'en a pas besoin. Ceux-là ne croient en rien : ils ne connaissent que la violence, l'égoïsme, le mépris, la haine. Ils sont prisonniers de leurs pulsions, de leur bêtise, de leur inculture. Esclaves de ce qu'ils prennent pour leur liberté. Ceux-là sont barbares par défaut de foi ou de fidélité : ce sont les spadassins du néant.

La barbarie des fanatiques a une autre allure. Ils ne manquent pas de foi, bien au contraire ! Ils sont pleins de certitudes, d'enthousiasme, de dogmatisme : ils prennent leur foi pour un savoir. Ils sont prêts, pour elle, à mourir et à tuer. Ils ne doutent pas. Ils n'hésitent pas. Ils connaissent le Vrai et le Bien. Qu'ont-ils besoin de sciences ? Qu'ont-ils besoin de démocratie ? Tout est écrit dans le Livre. Il n'y a qu'à croire et obéir. Entre Darwin et la Genèse, entre les droits de l'homme et la Charia, entre les droits des peuples et la Torah, ils ont choisi leur camp, une fois pour toutes. Ils sont du côté de Dieu. Comment pourraient-ils avoir tort ? Pourquoi devraient-ils croire en autre chose, se soumettre à autre chose ? Fondamentalisme. Obscurantisme. Terrorisme. Ils veulent faire l'ange ; ils font la bête ou le tyran. Ils se prennent pour les Chevaliers de l'Apocalypse. Ce sont les janissaires de l'absolu, qu'ils prétendent posséder en propre et qu'ils réduisent à la dimension, singulièrement étroite, de leur bonne conscience. Ils sont prisonniers de leur foi, esclaves de Dieu ou de ce qu'ils prennent – sans preuve – pour sa Parole ou sa Loi. Spinoza, sur eux, a dit l'essentiel : « Ils combattent pour leur servitude comme s'il s'agissait de leur salut. » Ils se veulent soumis à Dieu. Libre à eux, tant qu'ils n'empiètent pas sur notre liberté. Mais qu'ils n'essaient pas, nous, de nous soumettre !

Ce que nous pouvons craindre de pire ? La guerre des fanatismes. Ou bien (ce pourrait être les deux) que nous n'ayons rien d'autre à opposer, aux différents fanatismes des uns, que le nihilisme des autres. La barbarie, alors, ne pourrait que l'emporter, et peu importe qu'elle vienne du Nord ou du Sud, d'Orient ou d'Occident, qu'elle se réclame de Dieu ou du Néant. Il est douteux, dans tous les cas, que la planète y survive.

Le contraire de la barbarie, c'est la civilisation. Il ne s'agit pas de « renverser toutes les valeurs », comme le voulait Nietzsche, ni même, pour l'essentiel, d'en inventer de nouvelles. Les valeurs sont connues ; la Loi est connue. Cela fait au moins vingt-six siècles, dans toutes les grandes civilisations existant à l'époque, que l'humanité a « sélectionné », comme dirait un darwinien, les grandes valeurs qui nous permettent de vivre ensemble. C'est ce que Karl Jaspers appelle « l'âge axial » (du grec *axios*, la valeur), dont nous restons débiteurs. Qui voudrait revenir en amont d'Héraclite ou de Confucius, du Bouddha ou de Lao-tseu, de Zoroastre ou d'Isaïe ? Répéter ce qu'ils ont dit ? Cela ne suffit évidemment pas. Mais le comprendre, mais le prolonger, mais l'actualiser, mais le transmettre ! Il n'y aura pas de progrès autrement. Alain, en France, et Hannah Arendt, aux États-Unis, l'ont bien montré : c'est en transmettant le passé aux enfants qu'on leur permet d'inventer leur avenir ; c'est en étant culturellement conservateur qu'on peut être politiquement progressiste. Cela vaut spécialement en matière de morale, et pour les valeurs les plus anciennes (celles des grandes religions et des sagesses antiques : la justice, la compassion, l'amour...) comme pour les plus récentes (celles des Lumières : la démocratie, la laïcité, les droits de l'homme...). Du passé, ne faisons pas table rase ! Il ne s'agit pas, sauf exception, d'inventer de nouvelles valeurs ; il s'agit d'inventer, ou de réinventer, une nouvelle fidélité aux valeurs que nous avons reçues, et que nous avons à charge de transmettre. C'est comme une dette, vis-à-vis du passé, qu'on ne pourrait rembourser qu'à destination de l'avenir : la seule façon d'être vraiment fidèle aux valeurs dont nous avons hérité, c'est évidemment de les léguer à nos enfants. Les deux concepts de *transmission* et de *fidélité* sont indissociables : celle-là n'est que la prolongation, vers l'aval, de ce que celle-ci reconnaît avoir reçu depuis l'amont. Ce sont les deux pôles de toute tradition vivante, donc aussi de toute civilisation. Continuer d'avancer, pour cette espèce de fleuve qu'est l'humanité, c'est la seule façon de ne pas trahir la source.

Que reste-t-il de l'Occident chrétien quand il n'est plus chrétien ?

Récapitulons. Une société peut très bien se passer de *religion* au sens occidental et restreint du terme (la croyance en un Dieu personnel et créateur) ; elle pourrait peut-être se passer de sacré ou de surnaturel (de religion au sens large) ; mais elle ne peut se passer ni de *communion* ni de *fidélité*.

Cette exigence vaut pour toutes les civilisations. Si nous étions en Chine, en Inde ou en Iran, la question se poserait aussi, mais dans des termes différents. Il se trouve que nous sommes d'Occident. Il faut bien assumer cette donnée de fait, qui est à la fois géographique et historique. Quant à ses sources, notre civilisation est indissociablement gréco-latine et judéo-chrétienne, et cela me convient tout à fait. Elle est devenue laïque, et cela me convient encore mieux. Encore faut-il que cette laïcité ne soit pas qu'une coquille vide, ni une forme élégante d'amnésie ou de reniement, comme un nihilisme raffiné (c'est-à-dire, à peu près, une décadence). Concrètement, cela veut dire que la vraie question, pour nos pays, est la suivante : Que reste-t-il de l'Occident chrétien, quand il n'est plus chrétien ?

Et là, de deux choses l'une.

Ou bien vous pensez qu'il n'en reste rien, auquel cas il n'y a plus qu'à aller se coucher. Nous n'avons plus rien à opposer ni au fanatisme, à l'extérieur, ni au nihilisme, à l'intérieur – et le nihilisme, contrairement à ce que beaucoup semblent croire, est de très loin le danger principal. Nous sommes une civilisation morte, en tout cas mourante. Nos marchands peuvent continuer à vendre des voitures, des ordinateurs, des films, des jeux vidéo... Cela n'a plus d'intérêt et ne durera pas longtemps – parce que l'humanité ne peut plus suffisamment s'y reconnaître, suffisamment y trouver des raisons de vivre et de lutter, ni donc les moyens de résister au pire qui s'annonce (l'horreur économique, écologique, idéologique). La richesse n'a jamais suffi à faire une civilisation. La misère, encore moins. Il y faut aussi de la culture, de l'imagination, de l'enthousiasme, de la créativité, et rien de tout cela n'ira sans courage, sans travail, sans efforts. « Le principal danger qui menace l'Europe, disait Husserl, c'est la fatigue. » Bonne nuit les petits : l'Occident n'a plus la foi, il a sommeil.

Ou bien, deuxième terme de l'alternative, vous pensez qu'il en reste quelque chose, de l'Occident chrétien quand il n'est plus chrétien... Et si ce qu'il en reste ce n'est plus une *foi* commune (puisqu'elle a cessé, de fait, d'être commune : un Français sur deux, aujourd'hui, est athée, agnostique ou sans religion, un sur quatorze est musulman, etc.), ce ne peut être qu'une *fidélité* commune, c'est-à-dire un attachement partagé à ces valeurs que nous avons reçues, ce qui suppose ou entraîne, pour chacun d'entre nous, la volonté de les transmettre.

Croire ou ne pas croire en Dieu? La question, pour l'individu, est passionnante (je lui consacrerai mon deuxième chapitre). Mais là n'est pas, pour les peuples, l'essentiel. Nous n'allons pas soumettre le destin de notre civilisation à une question objectivement indécidable! Il y a plus important. Il y a plus urgent. Même pour les individus, d'ailleurs, la question de la foi ne saurait occulter celle, plus décisive, de la fidélité. Vais-je soumettre ma conscience à une croyance (ou à une incroyance) invérifiable? Faire dépendre ma morale de ma métaphysique? Mesurer mes devoirs à ma foi? Ce serait sacrifier le certain à l'incertain, et l'humanité nécessaire à un Dieu seulement possible. C'est pourquoi il m'arrive de me définir comme *athée fidèle* : athée, puisque je ne crois en aucun Dieu ni en aucune puissance surnaturelle; mais fidèle, parce que je me reconnais dans une certaine histoire, une certaine tradition, une certaine communauté, et spécialement dans ces valeurs judéo-chrétiennes (ou gréco-judéo-chrétiennes) qui sont les nôtres.

J'y étais préparé par mon adolescence. J'étais alors chrétien, je l'ai dit; mais je ne passais guère de temps à lire le catéchisme. Celui, ces années-là, qui m'en a le plus appris, en matière de morale, bien plus qu'aucun prêtre, bien plus, pendant longtemps, qu'aucun philosophe, c'est Georges Brassens. Tout le monde sait qu'il ne croyait pas en Dieu. Qui ne voit pourtant que sa morale (sans se confondre, certes, avec celle du Vatican !) porte la trace des Évangiles, qu'elle leur reste foncièrement fidèle ? Réécoutez « L'Auvergnat », « La Jeanne » ou « Le mécréant »… Quoi de plus évangélique que cette morale, comme aurait dit Jean-Marie Guyau, « sans obligation ni sanction » ?

Autre maître, que je ne découvris que bien plus tard : Montaigne. Croyait-il en Dieu ? Les spécialistes en discutent. Il se réfère à Socrate bien plus souvent qu'à Abraham, à Lucrèce beaucoup plus qu'à Jésus. C'est un maître surtout de liberté. Mais cela ne l'empêche pas, en matière de morale, de se réclamer parfois de la Genèse (« la première loi que Dieu donna jamais à l'homme ») ou d'évoquer les commandements « que Moïse dressa au peuple de Judée sorti d'Égypte ». Sa mère, semble-t-il, était juive. Peut-être cela l'aida-t-il à comprendre qu'il n'y a pas contradiction entre la fidélité et la liberté de l'esprit.

Même leçon chez Spinoza. Il n'était pas plus chrétien que moi ; il était peut-être aussi athée que moi (il ne croyait en tout cas en aucun Dieu transcendant). Cela ne l'empêchait pas de voir en Jésus-Christ un maître de premier ordre. Un Dieu ? Assurément pas. Le Fils de Dieu ? Pas davantage. Jésus, pour Spinoza, n'était qu'un être humain, mais exceptionnel, « le plus grand des philosophes », dit-il un jour, celui, en matière d'éthique, qui a le mieux su dire l'essentiel. À savoir quoi ? Ceci, que Spinoza appelle « l'esprit du Christ » : que « la justice et la charité » sont toute la loi, qu'il n'est d'autre sagesse que d'aimer, ni d'autre vertu, pour un esprit libre, que de « bien faire et se tenir en joie ». Faudrait-il, pour être athée, ne pas percevoir la grandeur de ce message-là ?

« Athée chrétien » ou « goy assimilé » ?

Quatre anecdotes, pour illustrer cette exigence de fidélité, ou plutôt deux souvenirs, une histoire drôle et une anecdote.

Je commence par le souvenir le moins ancien. C'était il y a une quinzaine d'années, à Salzbourg, en Autriche, lors d'un colloque interdisciplinaire portant sur l'évolution de nos sociétés. L'un des débats auxquels je participe est animé par Jean Boissonnat, qui dirigeait alors, en France, un grand magazine économique. Je tiens, sur le sujet qui nous occupait, et sans cacher mon athéisme, des propos qui relèvent de ce que j'appelle aujourd'hui la fidélité : je cite Montaigne et Rousseau, Kant et Wittgenstein, mais aussi, cela surprend davantage, tel ou tel passage de l'Ancien et du Nouveau Testament, que je commente à ma façon, en m'appuyant parfois sur Thomas d'Aquin, Pascal ou Kierkegaard... Jean Boissonnat, surpris d'une telle orientation, qu'il juge singulière sur la scène intellectuelle française, me dit : « Finalement, M. Comte-Sponville, vous êtes un athée chrétien ! » La formule me paraît trop paradoxale, voire contradictoire, pour que je puisse l'accepter : « Un chrétien croit en Dieu, répondis-je, et ce n'est pas mon cas. Je ne suis donc pas chrétien. Mais je suis, ou j'essaie d'être, un athée fidèle... » C'était la première fois, sauf erreur de ma part, que j'utilisais l'expression.

Quelques jours plus tard, de retour à Paris, je raconte cette anecdote à un ami ; je cite l'expression qu'avait utilisée Jean Boissonnat, j'évoque ma surprise et ma réponse... Et mon ami de commenter : « Athée chrétien ou athée fidèle, quelle différence ? Au fond, Boissonnat a raison ! Regarde nos amis juifs : beaucoup se disent "juif athée". Qu'est-ce que ça signifie ? Certainement pas qu'ils auraient des gènes de judéité, dont l'existence est au moins douteuse et dont la plupart se moquent éperdument ! Non, ce qu'ils veulent dire, c'est qu'ils ne croient pas en Dieu, qu'ils sont donc athées, mais que cela ne les empêche pas de se vivre eux-mêmes comme Juifs. Pourquoi ? Pas à cause des gènes, qui sont ici sans pertinence, pas à cause de la foi, qu'ils n'ont pas, et pas seulement, quoi qu'en ait pensé Sartre, par réaction à l'antisémitisme. S'ils se sentent juifs, c'est parce qu'ils se savent et se veulent partie prenante d'une certaine histoire, d'une certaine tradition, d'une certaine communauté... Eh bien, exactement au même sens où ils se disent "juifs athées", tu peux te dire "chrétien athée" ou "athée chrétien" ! »

Je n'ai pas suivi le conseil, qui risquait d'entraîner, me

45

semblait-il, pas mal de confusions ou de malentendus. Mais sur le fond, et malgré d'évidentes différences (il n'y a pas, dans l'histoire du christianisme, l'équivalent de la diaspora, ni de la Shoah, ni d'Israël), mon ami n'avait pas tort : je me sens attaché à la tradition chrétienne (ou judéo-chrétienne, j'y reviendrai), un peu comme tel ou tel de mes amis juifs athées se sent attaché à la tradition ou à la communauté qui est la sienne. Certains d'entre eux, d'ailleurs, m'ont aidé à le comprendre, et c'est ce qui m'amène à ma deuxième anecdote.

C'était quelques années plus tôt. J'étais jeune professeur de philosophie, enseignant alors dans le secondaire, en province. Un jour, de passage à Paris, je rencontre, sur le Boulevard Saint-Michel, l'un de mes anciens camarades de khâgne, que je n'avais pas revu depuis plusieurs années. Nous prenons un verre dans un café, sur le zinc, Place de la Sorbonne. Nous faisons en vitesse le bilan de nos vies : j'ai enseigné à tel endroit, puis à tel autre, je me suis marié, j'ai fait des enfants, j'ai publié tel ou tel livre... Puis mon ami ajoute :

« – Il y a autre chose. Maintenant, je retourne à la synagogue.

– Tu étais juif ?

– Je le suis toujours !

– Tu n'en parlais jamais ! Comment pouvais-je le savoir ?

– Avec le nom que je porte...

– Tu sais, quand on n'est ni juif ni antisémite, un nom, sauf à s'appeler Lévy ou Cohen, ça ne dit pas grand-chose... »

Peut-on se passer de religion ?

Mon ami, du temps où nous étions étudiants, faisait partie de ces Juifs tellement intégrés ou assimilés qu'on pouvait avoir le sentiment que la question, pour eux, ne se posait plus, ni d'un point de vue religieux (la plupart étaient athées), ni d'un point de vue ethnique (tous étaient antiracistes), ni même d'un point de vue culturel (presque tous étaient universalistes). Ils ne se sentaient juifs, m'expliquaient plusieurs d'entre eux, qu'autant qu'il y avait des antisémites ; or il n'y en avait à l'époque, dans les milieux que nous fréquentions, que fort peu, qui n'avaient d'ailleurs pas intérêt à se manifester ! Cet ami, dans mon souvenir, ne faisait pas exception. Durant nos années d'études, il ne parlait jamais ni de religion ni de judéité. Il passait pour athée ou agnostique, il l'était sans doute, comme la plupart d'entre nous ; il s'éloignait peu à peu du maoïsme de son adolescence, il s'intéressait surtout à Kant et à la phénoménologie... J'ignorais qu'il était juif, et la question, alors, m'eût paru sans pertinence. À quoi bon, entre incroyants, évoquer la foi que l'on n'a pas ? C'étaient de vieilles lunes. La modernité nous intéressait davantage. Et voilà que je le retrouve, à peine dix ans plus tard, fréquentant la synagogue ! Une telle évolution me surprend. Je l'interroge donc, sur ce qui me paraît l'essentiel :

— « Mais alors, maintenant, tu crois en Dieu ? »

Mon ami a un charmant sourire. Puis il me répond :

— « Tu sais, pour un Juif, croire ou non en Dieu, ce n'est pas vraiment la question importante... »

J'étais interloqué. Pour quelqu'un, comme moi, qui avait

été élevé dans le catholicisme, croire ou non en Dieu, c'était au contraire, dans ces domaines, la seule question qui importât ! Et mon ami de m'expliquer qu'il en allait tout autrement pour lui. Pourquoi attacher tellement d'importance, me demande-t-il, à une question dont nous ne pouvons connaître la réponse, sur laquelle nous ne pouvons ni agir ni peser ? Mieux vaut s'occuper de ce qu'on connaît et qui dépend de nous ! Et de me citer, dans un sourire, la boutade bien connue : « Dieu n'existe pas, mais nous sommes son peuple élu... » Bref, mon ami m'explique que pour un Juif, comme il disait, en tout cas pour lui, l'attachement à une certaine histoire, à une certaine tradition, à une certaine Loi, à un certain Livre, donc aussi l'appartenance à une certaine communauté importaient davantage que le fait, somme toute contingent et quelque peu secondaire, qu'on croie ou pas en Dieu. Puis il était jeune père de famille, et tenait à transmettre à ses enfants cet héritage qu'il venait de redécouvrir. « Le judaïsme, conclut-il, c'est la seule religion pour laquelle le premier devoir des parents soit d'apprendre à lire à leurs enfants : pour qu'ils puissent lire la Torah... »

Il fut pour moi le premier d'une longue série. En France, c'est toute une génération, parmi les Juifs, qui semblait réévaluer son rapport au judaïsme, y compris chez ceux qui continuaient de se dire athées, comme la plupart de mes amis, et cela me donna beaucoup à réfléchir. Cette tradition qui est la leur, me disais-je, elle est aussi la nôtre, pour une bonne part. S'ils ont raison d'y revenir, de l'explorer, de l'assumer, même sans croire en Dieu, n'y a-t-il pas quelque sottise dans le mépris que, trop souvent, nous manifestons à son égard ? Que le peuple juif ait pu subsister pendant tant de siècles, sans État, sans terre, sans autre refuge que la mémoire et la fidélité, et avec une telle créativité, une telle liberté d'esprit, une telle contribution au progrès des sciences et des peuples, cela méritait peut-être réflexion...

J'avais le sentiment, soudain, d'avancer en territoire inconnu, en même temps que je rentrais chez moi.

L'épithète « judéo-chrétien », ces années-là, était devenue péjorative (surtout lorsqu'on parlait de « la morale judéo-chrétienne », toujours réputée répressive, castratrice, culpabilisatrice). Nietzsche ou l'hédonisme régnaient en maître, et cela fit d'abord, c'est vrai, comme un vent tonique et libérateur. Avec le temps, pourtant, j'y ai vu aussi un danger et une injustice. « Est-ce le mot "juif" qui les gêne, me demandais-je, ou le mot "chrétien" ? » La réponse pouvait varier, selon les moments ou les milieux. Mais force m'était de reconnaître, pour ce qui me concernait, qu'aucun de ces deux mots ne me gênait, bien au contraire, et même qu'il y avait là, pour l'athée que j'étais devenu, comme une double dette d'honneur ou d'esprit. Bref, c'est en pensant à mes amis juifs, et par dégoût des antisémites, qu'il m'est arrivé parfois de me définir, lorsqu'on m'interrogeait sur ma religion, comme *« goy assimilé »*. Ce n'était qu'une boutade, mais qui dit aussi, d'un autre point de vue, ce que c'est, en terre judéo-chrétienne, qu'un athée fidèle...

Deux rabbins, un dalaï-lama et un Périgourdin

Mon histoire drôle va dans le même sens : c'est une histoire juive. Je me souviens l'avoir racontée, lors d'une conférence, dans une ville de l'Est de la France, à Strasbourg si mes souvenirs sont exacts. Les organisateurs, après la conférence, avaient prévu un cocktail. On me présente quelques notables ou personnalités, parmi lesquels le grand rabbin de la ville. Nous trinquons ensemble. Il me glisse en souriant :

— « Il s'est passé quelque chose d'amusant, pendant votre conférence...

— Quoi donc ?

— Vous étiez en train de parler de fidélité... Je me suis penché vers mon voisin, et je lui ai dit à l'oreille : "Ça me fait penser à une histoire juive. Je te la raconterai tout à l'heure..." Et c'est l'histoire que vous avez racontée vous-même, quelques secondes plus tard ! »

Voici donc une histoire authentifiée, ce n'est pas rien, par le grand rabbinat de Strasbourg ou des environs... C'est l'histoire de deux rabbins, qui dînent ensemble. Ils sont amis. Ils peuvent tout se dire. Ils discutent, jusqu'à fort tard dans la nuit, de l'existence de Dieu. Et ils concluent que Dieu, finalement, n'existe pas. Nos deux rabbins vont se coucher... Le jour se lève. L'un des deux rabbins se réveille, cherche son ami dans la maison, ne l'y trouve pas, va le chercher dehors, dans le jardin, où il le trouve en effet, en train de faire ses prières rituelles du matin. Surpris, il lui demande :

– « Bah ! Qu'est-ce que tu fais ?

– Tu le vois bien : je fais mes prières rituelles du matin...

– C'est bien ce qui m'étonne ! On en a parlé toute une partie de la nuit, on a conclu que Dieu n'existait pas, et toi, maintenant, tu fais tes prières rituelles du matin ? ! »

L'autre lui répond simplement :

– « Qu'est-ce que Dieu vient faire là-dedans ? »

Humour juif : sagesse juive. Qu'il y ait quelque bizarrerie à continuer ses prières rituelles lorsqu'on ne croit plus en Dieu, c'est ce qui fait sourire. Mais il se pourrait que ce sourire cache une leçon, ou la dévoile. Il m'est arrivé, lorsqu'on s'étonnait de ma fidélité à la tradition judéo-chrétienne, alors que je suis athée, ou de mon athéisme, alors que je me reconnais dans cette tradition, de répondre simplement : « Qu'est-ce que Dieu vient faire là-dedans ? » Que ceux qui ont des oreilles et de l'humour entendent.

Pas besoin pour cela – faut-il le préciser ? – d'être juif, ni d'être chrétien, ni de l'avoir été. Il n'y a pas de peuple élu, ni de civilisation obligée. Si j'étais né en Chine, en Inde ou en Afrique, mon chemin serait évidemment différent. Mais il passerait pareillement par une forme de fidélité (fût-elle critique ou impie, comme est la mienne), seule capable de faire advenir, par-delà la diversité des cultures, ce qu'il y a en chacune d'elles – et plus encore dans leur rencontre, qui est la civilisation vraie – d'universellement humain. « Quand on ne sait où l'on va, dit un proverbe africain, il faut se souvenir d'où l'on vient. » Et seul ce souvenir – l'histoire, la culture – permet de savoir où l'on *veut* aller. Progressisme et fidélité vont ensemble. L'universel n'est pas derrière nous, mais devant. Nul n'y accède que par la particularité d'un chemin.

Je ne me souviens plus où j'ai lu ma dernière anecdote. Mais elle semblait venir d'un témoin direct et de bonne foi. Un jour, après une conférence que le dalaï-lama venait de prononcer, je ne sais où en Europe, un jeune Français vient le trouver : « Votre Sainteté, lui dit-il, je voudrais me convertir au bouddhisme... » Le dalaï-lama, dans son immense sagesse, lui répond simplement : « Mais pourquoi le bouddhisme ? En France, vous avez le christianisme... C'est très bien, le christianisme ! » Je ne connais pas de phrase plus irréligieuse, ni plus fidèle, que celle-là. Elle me fait penser à cette formule bien connue de Montaigne, dans l'*Apologie de Raymond Sebond* : « Nous sommes chrétiens au même titre que nous sommes ou périgourdins ou allemands. » L'un de ses meilleurs commentateurs, Marcel Conche, en conclut à juste titre que Montaigne étant incontestablement périgourdin, il était donc tout aussi incontestablement chrétien. Sans doute. Mais d'une façon qui ne pouvait guère satisfaire son Église (les *Essais* seront mis à l'*Index* en 1676), ni ne nous permet de savoir s'il croyait ou non en Dieu... La formule, sur ce point, ne permet pas de trancher. Elle suggère simplement, c'est ce qui fait son prix, que là n'est pas l'essentiel – que la fidélité, au sens où je prends le mot, importe davantage que la foi.

Perdre la foi, qu'est-ce que cela change ?

Cela ne signifie pas que le fait d'être athée, ou de le devenir, ne change rien. Je suis bien placé pour le savoir : j'ai été croyant dans les années les plus importantes de ma vie – l'enfance, l'adolescence –, et j'ai pu mesurer, après coup, la différence. Elle n'est ni totale ni nulle. C'est d'ailleurs ce que Kant, de son point de vue de philosophe croyant, confirme. Dans un passage fameux de la *Critique de la raison pure*, il résume le domaine de la philosophie en trois questions : *Que puis-je connaître ? Que dois-je faire ? Que m'est-il permis d'espérer ?* Confrontons rapidement chacune des trois à la perte éventuelle de la foi.

Perdre la foi, cela ne change rien à la connaissance. Les sciences restent les mêmes, avec les mêmes limites. Nos scientifiques le savent bien. Qu'ils croient ou non en Dieu, cela peut modifier la façon dont ils vivent leur métier (leur état d'esprit, leur motivation, le sens ultime, pour eux, de leur quête) ; cela ne change pas les résultats de leur travail, ni son statut théorique, ni donc leur métier en tant que tel (il cesserait autrement d'être scientifique). Cela peut changer leur rapport subjectif à la connaissance ; cela ne change pas la connaissance elle-même, ni ses limites objectives.

Cela ne change rien non plus, ou presque rien, à la morale. Ce n'est pas parce que vous avez perdu la foi que vous allez soudain trahir vos amis, voler ou violer, assassiner ou torturer ! « Si Dieu n'existe pas, dit un personnage de

Dostoïevski, tout est permis. » Mais non, puisque je ne me permets pas tout ! La morale est autonome, montre Kant, ou elle n'est pas. Celui qui ne s'interdirait de tuer que par peur d'une sanction divine, son comportement serait sans valeur morale : ce ne serait que prudence, peur du gendarme divin, égoïsme. Quant à celui qui ne ferait le bien que pour son salut, il ne ferait pas le bien (puisqu'il agirait par intérêt, non par devoir ou par amour) et ne serait pas sauvé. C'est le sommet de Kant, des Lumières et de l'humanité : ce n'est pas parce que Dieu m'ordonne quelque chose que c'est bien (car alors il eût pu être bien, pour Abraham, d'égorger son fils) ; c'est parce qu'une action est bonne qu'il est possible de croire qu'elle est ordonnée par Dieu. Ce n'est plus la religion qui fonde la morale ; c'est la morale qui fonde la religion. C'est où commence la modernité. Avoir une religion, précise la *Critique de la raison pratique*, c'est « reconnaître tous les devoirs comme des commandements divins ». Pour ceux qui n'ont pas ou plus la foi, il n'y a plus de commandements, ou plutôt ils ne sont plus divins ; il reste les devoirs, qui sont les commandements que nous nous imposons à nous-mêmes.

Belle formule d'Alain, dans ses *Lettres à Sergio Solmi sur la philosophie de Kant* : « La morale consiste à se savoir esprit et, à ce titre, obligé absolument ; car noblesse oblige. Il n'y a rien d'autre dans la morale que le sentiment de la dignité. » Voler, violer, tuer ? Ce ne serait pas digne de moi – pas digne de ce que l'humanité est devenue, pas digne de l'éducation que j'ai reçue, pas digne de ce que je suis et veux être. Je me l'interdis donc, et c'est ce qu'on appelle la morale. Pas besoin de croire en Dieu pour cela ; il suffit de croire ses parents et ses maîtres, ses amis (si on a su les choisir) et sa conscience.

Si je dis que la présence ou non d'une foi religieuse ne change « presque » rien à la morale, c'est que, sur certaines questions, qui relèvent moins de la morale que de la théologie, il y aura malgré tout quelques petites différences... Pensez, par exemple, au problème de la contraception en général, ou du préservatif en particulier. L'avortement est un problème moral : il se pose pour les croyants comme pour les athées, et l'on a d'ailleurs trouvé des partisans de la libéralisation, quoiqu'en proportions différentes, des deux côtés. Sur le préservatif, en revanche, je n'ai jamais vu un athée s'interroger sérieusement. Si vous n'avez pas de religion, la question de savoir s'il est moralement acceptable d'utiliser un préservatif (que ce soit comme moyen contraceptif ou, *a fortiori*, pour se protéger, et protéger l'autre, contre le sida) trouve vite sa réponse ! Le préservatif n'est pas un problème moral ; c'est un problème théologique (et encore ! je n'ai pas lu grand-chose, dans les Évangiles, sur la question...). Même chose, entre nous soit dit, pour les préférences sexuelles de tel ou tel. Entre partenaires adultes et consentants, la morale n'a guère à s'en mêler. L'homosexualité, par exemple, est peut-être un problème théologique (c'est ce que suggère, dans la Genèse, la destruction de Sodome et Gomorrhe). Elle n'est pas – ou plus – un problème moral, ou elle ne l'est, aujourd'hui encore, que pour ceux qui confondent la morale et la religion, spécialement s'ils cherchent dans la lecture littérale de la Bible ou du Coran de quoi les dispenser de juger par eux-mêmes. C'est leur droit, tant qu'il ne s'agit que d'eux, tant qu'ils respectent les lois de nos démocraties (la souveraineté du peuple, les libertés individuelles). Et c'est notre droit de ne pas les suivre, de les combattre si nous le voulons (à condition, là encore, de respecter les lois), enfin de défendre, contre eux, notre liberté de conscience et d'examen. Pourquoi devrais-je soumettre mon esprit à une foi que je n'ai pas, à une religion qui n'est pas la mienne, enfin aux diktats, il y a des siècles ou des millénaires, d'un chef de clan ou de guerre ? Fidélité, oui, mais critique, réfléchie, actualisée. Soumission aveugle, non.

Mais laissons ces querelles ou ces archaïsmes. Sur toutes les grandes questions morales et sauf pour les intégristes, croire ou pas en Dieu ne change rien d'essentiel. Que vous ayez ou non une religion, cela ne vous dispense pas de respecter l'autre, sa vie, sa liberté, sa dignité ; cela n'annule pas la supériorité de l'amour sur la haine, de la générosité sur l'égoïsme, de la justice sur l'injustice. Que les religions nous aient aidés à le comprendre, cela fait partie de leur apport historique, qui fut grand. Cela ne signifie pas qu'elles y suffisent ou qu'elles en aient le monopole. Bayle, dès la fin du XVIIe siècle, l'avait fortement souligné : un athée peut être vertueux, aussi sûrement qu'un croyant peut ne pas l'être.

Les deux tentations de la post-modernité

Hélas! Qui lit Bayle aujourd'hui? Sade et Nietzsche, chez nos intellectuels, sont davantage à la mode. C'est peut-être qu'ils parlent mieux à notre fatigue, à notre ennui, à nos sens ou à nos esprits émoussés... On se lasse de tout, y compris et surtout de la grandeur. Y aurait-il autrement des décadences? Toujours est-il que deux tentations, mortifères l'une et l'autre, menacent notre modernité de l'intérieur ou la transforment en post-modernité : tentation de la sophistique, d'un point de vue théorique ; tentation du nihilisme, d'un point de vue pratique. La post-modernité, dirais-je à la façon de Régis Debray, c'est ce qui reste de la modernité quand on a éteint les Lumières – c'est une modernité qui ne croit plus à la raison, ni au progrès (politique, social, humain), ni donc à elle-même. Si tout se vaut, rien ne vaut : une science n'est qu'une mythologie comme une autre, le progrès n'est qu'une illusion, et une démocratie respectueuse des droits de l'homme n'est en rien supérieure à une société esclavagiste et tyrannique. Mais alors, que reste-t-il des Lumières, du progressisme et de la civilisation?

Que le progrès ne soit ni linéaire ni garanti, c'est une évidence. Cela justifie qu'on se batte pour lui (la décadence est possible aussi), point qu'on y renonce.

J'appelle *« sophistique »* tout discours qui se soumet à autre chose qu'à la vérité, ou qui prétend soumettre la vérité à autre chose qu'à elle-même. Cela culmine – ou plutôt s'effondre – dans une affirmation d'allure dostoïevskienne, mais de contenu plutôt nietzschéen : « Si Dieu n'existe pas, il n'y a pas de vérité. »

J'appelle « *nihilisme* » tout discours qui prétend renverser ou abolir la morale, non parce qu'elle serait relative, ce que j'accorde bien volontiers (les sciences sont relatives aussi : ce n'est pas une raison pour les refuser), mais parce qu'elle serait, comme le prétend Nietzsche, néfaste et mensongère. C'est reprendre à peu près la formule d'Ivan Karamazov : « Si Dieu n'existe pas, tout est permis. » Cela culmine ou se caricature dans l'un des slogans les plus fameux, et les plus sots, de mai 1968 : « Il est interdit d'interdire. » C'est où l'on passe de la liberté à la licence, de la révolte à la veulerie, du relativisme au nihilisme. Cela ne peut mener qu'à la décadence ou à la barbarie. Il n'y a plus ni valeur qui vaille ni devoir qui s'impose ; il n'y a que mon plaisir ou ma lâcheté, que les intérêts et les rapports de forces.

Ces deux tentations – sophistique et nihilisme – furent génialement énoncées par Nietzsche (c'est en quoi il domine notre post-modernité : il en a pressenti l'abîme, quitte parfois à s'y engouffrer lui-même, avec le brio qu'on lui connaît), dans plusieurs de ses ouvrages, surtout les plus tardifs. Il en a résumé l'essentiel en une formule qu'on trouve dans ses *Fragments posthumes* : « Rien n'est vrai, tout est permis. »

La première proposition est logiquement ruineuse. Si rien n'est vrai, il n'est pas vrai que rien ne soit vrai : la formule s'autodétruit, mais sans se réfuter (si rien n'est vrai, il n'y a plus de réfutation possible). C'est la fin de la raison.

On ne peut plus penser du tout, ou plutôt on peut penser n'importe quoi, ce qui revient au même. Tout est possible. Tout est égal (alors que la pensée n'avance, en philosophie comme dans les sciences, qu'en se heurtant partout à l'impossible, qui est la marque de l'objectivité : qu'on n'atteigne jamais une vérité absolue, cela n'empêche pas qu'on doive refuser un certain nombre d'erreurs, qui *ne peuvent pas* être vraies). Le réel même devient insaisissable. «Il n'y a pas de faits, écrit Nietzsche dans un autre fragment posthume, il n'y a que des interprétations.» Et déjà, dans *Par-delà le bien et le mal* : «Qu'un jugement soit faux, ce n'est pas, à nos yeux, une objection contre ce jugement.» Voilà qui rend le nietzschéisme irréfutable. La sophistique triomphe : la vérité, pour plusieurs de nos contemporains, n'est plus que la dernière illusion, dont il importe de se libérer... On se doute que la morale n'y survivra pas. Si rien n'est vrai, personne n'est coupable de quoi que ce soit, personne n'est innocent, il n'y a plus rien à opposer ni aux négationnistes, ni aux menteurs, ni aux massacreurs (puisqu'il n'est pas vrai qu'ils le soient), ni à soi-même. Par quoi la sophistique, inévitablement, fait le lit – confortable et mortifère – du nihilisme.

La seconde proposition est surtout dangereuse d'un point de vue moral. Si tout est permis, il n'y a plus rien à s'imposer à soi-même, ni à reprocher aux autres. Au nom de quoi combattre l'horreur, la violence, l'injustice ? C'est se vouer au nihilisme ou à la veulerie (celui-là n'étant que la forme chic de celle-ci), et abandonner le terrain, en pratique, aux fanatiques ou aux barbares. Si tout est permis, le terrorisme l'est aussi, et la torture, et la dictature, et les génocides... « Qu'un acte soit immoral, pourraient-ils dire, ce n'est pas, à nos yeux, une objection contre cet acte. » Les bourreaux n'en demandent pas davantage. Les lâches non plus. Mentir ? Dire la vérité ? Se raconter des histoires ? Cela revient au même. Par quoi le nihilisme fait le jeu – vite ennuyeux – de la sophistique.

Que Nietzsche, quant à lui, ait le plus souvent échappé à cette double tentation, d'abord par le génie, ensuite par l'esthétisme, c'est-à-dire par la volonté de faire de sa vie une œuvre d'art (le « grand style »), je ne l'ignore pas, ni n'y suis indifférent. Mais j'y vois une impasse plutôt qu'une issue : vouloir faire de sa vie une œuvre d'art, outre le narcissisme du propos, c'est se tromper sur l'art et se mentir sur la vie. Voyez Oscar Wilde, ou Nietzsche lui-même (la pauvre vie de Nietzsche, quand on y pense, quelle misère, et comme elle rend suspectes ou dérisoires les rodomontades du *Zarathoustra* !). C'est un autre sujet, que je ne puis traiter ici. Ce que je voulais souligner, c'est simplement que la fidélité, au sens où je prends le mot, impose de refuser ces deux tentations du nihilisme et de la sophistique. S'il n'y avait pas de vérité, il n'y aurait pas de connaissances, ni donc de progrès des connaissances. S'il n'y avait pas de valeurs, ou si elles ne valaient rien, il n'y aurait ni droits de l'homme ni progrès social et politique. Tout combat serait vain. Toute paix aussi.

À cette double tentation de notre époque, il est urgent,

surtout pour les athées, d'opposer un double rempart : celui du rationalisme (contre la sophistique), celui de l'humanisme (contre le nihilisme). Ces deux remparts, ensemble, constituent ce qu'on appelle, depuis le XVIIIe siècle, les Lumières.

Il n'est pas vrai que rien ne soit vrai. Qu'aucune connaissance ne soit *la* vérité (absolue, éternelle, infinie), c'est bien clair. Mais elle n'est une connaissance que par la part de vérité (toujours relative, approximative, historique) qu'elle comporte, ou par la part d'erreur qu'elle réfute. C'est pourquoi elle progresse. L'histoire des sciences avance « par approfondissements et ratures » (Cavaillès), « par essais et éliminations des erreurs » (Popper), mais elle avance : le progrès, souligne Bachelard, est « la dynamique même de la culture scientifique (...) ; l'histoire des sciences est l'histoire des défaites de l'irrationalisme ». Fidélité à la raison. Fidélité à l'esprit. Fidélité à la connaissance. *« Sapere aude »*, comme disait Kant après Horace et Montaigne : ose savoir, ose te servir de ton entendement, ose distinguer le possiblement vrai du certainement faux !

Il n'est pas vrai que tout soit permis, ou plutôt il dépend de chacun de nous que cela ne soit pas. Fidélité à l'humanité, et au devoir d'humanité ! C'est ce que j'appelle l'humanisme pratique, qui n'est pas une religion mais une morale. « Il n'est rien si beau et légitime, disait Montaigne, que de faire bien l'homme, et dûment. » Faire bien l'homme, faire bien la femme (puisque l'humanité est sexuée) : c'est l'humanisme en acte, et le contraire du nihilisme. Il s'agit de n'être pas indigne de ce que l'humanité a fait d'elle-même, ni donc de ce que la civilisation a fait de nous. Le premier devoir, et le principe de tous les autres, c'est de vivre et d'agir *humainement*.

La religion n'y suffit pas, ni n'en dispense. L'athéisme, pas davantage.

Le gai désespoir

Il reste la troisième question de Kant : *« Que m'est-il permis d'espérer ? »* C'est où se joue, pour notre sujet, l'essentiel. Perdre la foi, cela ne change rien à la connaissance, et pas grand-chose à la morale. Mais cela change considérablement la dimension d'espérance – ou de désespoir – d'une existence humaine.

Si vous croyez en Dieu, que vous est-il permis d'espérer ? Tout, en tout cas tout l'essentiel : le triomphe ultime de la vie sur la mort, de la justice sur l'injustice, de la paix sur la guerre, de l'amour sur la haine, du bonheur sur le malheur... « Une infinité de vie infiniment heureuse », disait Pascal. Philosophiquement, j'y vois plutôt une objection contre la religion. Je m'en expliquerai dans le chapitre suivant. Mais subjectivement, cela assure à la religion de beaux jours : l'espoir lui donne raison, qui se moque de nos raisonnements.

Si vous ne croyez pas ou plus en Dieu, à l'inverse, que vous est-il permis d'espérer ? Rien, en tout cas rien d'absolu ni d'éternel, rien au-delà du « fond très obscur de la mort », comme disait Gide, si bien que toutes nos espérances, pour cette vie, fussent-elles légitimes (qu'il y ait moins de guerres, moins de souffrances, moins d'injustices...), viennent buter sur ce néant ultime, qui engloutit tout, bonheur et malheur, et cela fait une injustice de plus (que la mort frappe également l'innocent et le coupable), un malheur de plus ou plusieurs (combien de deuils dans une vie d'homme ?), qui nous vouent au tragique ou, pour l'oublier, au divertissement. C'est le monde de Lucrèce, c'est le monde de Camus, et c'est le nôtre : la nature est aveugle, nos désirs sont insatiables, et seule la mort est immortelle. Cela n'empêche pas de se battre pour la justice, mais interdit d'y croire tout à fait, ou de croire tout à fait en son triomphe possible. Bref, Pascal, Kant et Kierkegaard ont raison : un athée lucide ne peut pas échapper au désespoir. C'est ce que j'ai essayé de penser jusqu'au bout, dans mes premiers livres, spécialement dans mon *Traité du désespoir et de la béatitude*. Pour m'enfoncer dans le malheur ? Au contraire ! Pour en sortir, pour montrer que le bonheur n'est pas à espérer mais à vivre, ici et maintenant à vivre ! Cela n'annule pas le tragique. Mais pourquoi faudrait-il l'annuler ? Mieux vaut l'accepter, et joyeusement si l'on peut. Sagesse tragique : sagesse du bonheur et de la finitude, du bonheur et de l'impermanence, du bonheur et du désespoir. C'est moins paradoxal qu'il ne semble. On n'espère que ce qu'on n'a pas. Tant qu'on espère être heureux, c'est donc que le bonheur fait défaut. Quand il est là, au contraire, que reste-t-il à espérer ? Qu'il dure ? Ce serait craindre qu'il ne s'achève, et voilà que le bonheur déjà se dissout dans l'angoisse... C'est le piège de l'espérance, avec ou sans Dieu : à force d'espérer le bonheur pour demain, nous nous interdisons de le vivre aujourd'hui.

« Qu'est-ce que je serais heureux, si j'étais heureux ! », plaisante Woody Allen. Mais comment pourrait-il l'être, puisqu'il ne cesse d'espérer le devenir ? Nous en sommes tous là. Du moins, c'est la pente. Toujours « béants après l'avenir », comme dit Montaigne. Toujours insatisfaits. Toujours pleins d'espoirs et de craintes. Le bonheur ? Ce serait d'avoir ce qu'on désire. Mais comment, si le désir est manque ? Si on ne désire que ce qu'on n'a pas, on n'a jamais ce qu'on désire. Nous voilà séparés du bonheur par l'espérance même qui le poursuit – séparés du présent, qui est tout, par l'avenir, qui n'est pas. Pascal a génialement résumé l'essentiel : « Ainsi nous ne vivons jamais, nous espérons de vivre » ; si bien que « nous disposant toujours à être heureux, il est inévitable que nous ne le soyons jamais ». J'ai voulu échapper à cet « inévitable », et penser pour cela ce que j'ai appelé une sagesse du désespoir, qui prolonge, en Occident, celles des épicuriens ou des stoïciens, celle plus tard de Spinoza, comme, en Orient, celles du bouddhisme ou du Sâmkhya (« Seul le désespéré est heureux, lit-on dans le *Sâmkhya-Sûtra* ; car l'espoir est la plus grande torture, et le désespoir le plus grand bonheur »). Le paradoxe, là encore, n'est qu'apparent. Le sage ne désire que ce qui est ou qui dépend de lui. Qu'a-t-il besoin d'espérer ? Le fou ne désire que ce qui n'est pas (c'est ce qui distingue l'espérance de l'amour) et qui ne dépend pas de lui (c'est ce qui distingue l'espérance de la volonté). Comment serait-il heureux ? Il ne cesse d'espérer. Comment cesserait-il d'avoir peur ?

« Il n'y a pas d'espoir sans crainte, explique Spinoza, ni de crainte sans espoir. » Si la sérénité est absence de crainte, ce qui est le sens ordinaire du mot, elle est donc aussi absence d'espérance : voilà le présent dégagé pour l'action, la connaissance et la joie ! Rien à voir avec la passivité, la paresse ou la résignation. Désirer ce qui dépend de nous (vouloir), c'est se donner les moyens de le faire. Désirer ce qui n'en dépend pas (espérer), c'est se vouer à l'impuissance et au ressentiment. Cela dit assez le chemin. Le sage est un homme d'action, quand le sot se contente d'espérer en tremblant. Le sage vit au présent : il ne désire que ce qui est (acceptation, amour) ou que ce qu'il fait (volonté). C'est l'esprit du stoïcisme. C'est l'esprit du spinozisme. C'est l'esprit, quelles que soient les doctrines, de toute sagesse. Ce n'est pas l'espérance qui fait agir (combien espèrent la justice, qui ne font rien pour elle ?), c'est la volonté. Ce n'est pas l'espérance qui libère, c'est la vérité. Ce n'est pas l'espérance qui fait vivre, c'est l'amour.

C'est où le désespoir peut être vivifiant, salutaire, joyeux. C'est le contraire du nihilisme, ou son antidote. Les nihilistes ne sont pas désespérés : ils sont déçus (or on n'est déçu que par rapport à une espérance préalable), dégoûtés, aigris, pleins de rancœur et de ressentiment. Ils ne pardonnent pas à la vie, ni au monde, ni à l'humanité, de ne pas correspondre aux espérances qu'ils s'en étaient faites. Mais à qui la faute, si leurs espérances étaient illusoires ? Celui qui n'espère rien, au contraire, comment serait-il déçu ? Celui qui ne désire que ce qui est ou qui dépend de lui (celui qui se contente d'aimer et de vouloir), comment serait-il dégoûté ou aigri ? Le contraire de la rancœur, c'est la gratitude. Le contraire du ressentiment, la miséricorde. Le contraire du nihilisme, l'amour et le courage.

Qu'il y ait quelque chose de désespérant, dans la condition humaine, qui peut le nier ? Ce n'est pas une raison pour cesser d'aimer la vie, bien au contraire ! Qu'un voyage doive avoir une fin, est-ce une raison pour ne pas l'entreprendre, ou pour ne pas en profiter ? Que nous n'ayons qu'une seule vie, est-ce une raison pour la gâcher ? Qu'il n'y ait, pour la paix et la justice, aucun triomphe garanti, ni même aucun progrès irréversible, est-ce une raison pour cesser de se battre pour elles ? Bien sûr que non ! C'est autant de raisons, au contraire, bien fortes, pour accorder à la vie, à la paix, à la justice – et à nos enfants – tous nos soins. La vie est d'autant plus précieuse qu'elle est plus rare et plus fragile. La justice et la paix, d'autant plus nécessaires, d'autant plus urgentes que rien ne garantit leur victoire. L'humanité, d'autant plus bouleversante qu'elle est plus seule, plus courageuse, plus aimante. « Quand tu auras désappris à espérer, écrivait Sénèque, je t'apprendrai à vouloir. » J'ajoutai simplement, avec Spinoza : et à aimer.

J'écrivis là-dessus quelques volumes. J'avais le sentiment, point tout à fait à tort, d'être à l'opposé du christianisme. « Le contraire de désespérer, c'est croire », avait affirmé Kierkegaard. Je renversai la formule : « Le contraire de croire, c'est désespérer. » Je parlais de *gai désespoir* (un peu au sens où Nietzsche parlait d'un *gai savoir*), et j'en aime toujours le goût amer et tonique.

Le Royaume et l'amour

J'en étais là de ma réflexion, il y a une quinzaine d'années. Sur le fond, je n'ai guère changé, sauf sur un point : je ne suis plus si sûr, aujourd'hui, que la question de l'espérance, aussi importante soit-elle, oppose en tout la religion et l'athéisme.

Une anecdote, là encore. Cela se passe il y a quelques années. Je fais une conférence, dans une ville de province, sur l'idée de spiritualité sans Dieu. Après ma conférence, plusieurs personnes viennent me saluer. Parmi elles, un homme assez âgé, qui se présente à moi comme prêtre catholique (il porte en effet une petite croix dorée à la boutonnière). « Je suis venu vous remercier, me dit-il ; j'ai beaucoup aimé votre conférence. » Puis il ajoute : « Je suis d'accord avec tout. » Je le remercie à mon tour, mais je reprends : « Toutefois, mon Père, lorsque vous dites que vous êtes d'accord avec tout, vous me surprenez quelque peu... Lorsque je parle de l'existence de Dieu ou de l'immortalité de l'âme, auxquelles je ne crois pas, vous ne pouvez pas être d'accord avec moi ! »

Le vieux prêtre sourit doucement : « Tout ça, me répond-il, ça a tellement peu d'importance ! »

Il s'agissait de l'existence de Dieu et de l'immortalité de l'âme, et il était prêtre catholique... Je ne sais ce qu'en aurait pensé son évêque, qui aurait peut-être trouvé le propos d'une orthodoxie – ou d'une catholicité – douteuse... Je me doute de ce qu'en penseront plusieurs fondamentalistes, qu'ils soient chrétiens ou musulmans : ils y verront la main du diable ou du relativisme. Tant pis pour eux. Ce que je sais, pour ce qui me concerne, c'est que j'ai trouvé ces paroles véritablement évangéliques. Que Jésus, lui, ait cru en Dieu et en la résurrection, c'est plus que vraisemblable. Quel Juif, en ces temps-là, n'y croyait pas ? Mais ce que j'ai retenu de la lecture des Évangiles, c'est moins ce qu'il dit sur Dieu ou sur une éventuelle vie après la mort (il n'en dit d'ailleurs pas grand-chose) que ce qu'il dit sur l'homme et sur cette vie-ci. Souvenez-vous du Bon Samaritain... Il n'est pas juif. Il n'est pas chrétien. On ne sait rien de sa foi éventuelle, ni de son rapport à la mort. Simplement, il est le prochain de son prochain : il fait preuve de compassion ou de charité. Et c'est lui, non un prêtre ou un lévite, que Jésus nous donne expressément en modèle. J'en retiens que ce qui fait la valeur d'une vie humaine, ce n'est pas le fait que la personne en question croie ou pas en Dieu ou en une vie après la mort. S'agissant de ces deux questions, la seule vérité, j'y reviendrai, c'est que nous n'en savons rien. Croyants et incroyants, nous ne sommes ici séparés que par ce que nous ignorons. Cela n'annule pas nos désaccords, mais en relativise la portée. Il serait fou d'attacher davantage d'importance à ce que nous ignorons, qui nous sépare, qu'à ce que nous savons très bien, d'expérience et de cœur, et qui nous rapproche : ce qui fait la valeur d'une vie humaine, ce n'est pas la foi, ce n'est pas l'espérance, c'est la quantité d'amour, de compassion et de justice dont on est capable !

Souvenez-vous de l'Hymne à la charité, dans la Première Épître aux Corinthiens. C'est ce très beau texte où saint Paul évoque ce qu'on appellera plus tard les trois vertus théologales, la foi, l'espérance, la charité (ou l'amour : *agapè*). La plus grande des trois, explique saint Paul, c'est la charité. Je peux avoir le don des langues, celui des prophéties, une foi à déplacer les montagnes, si je n'ai pas l'amour, je ne suis rien. Puis saint Paul ajoute en substance : tout le reste passera, seule « la charité ne passera pas ». Nous sommes nombreux à avoir lu ou entendu ce texte des dizaines de fois, sans nous demander ce que cela voulait dire... Heureusement qu'il y a de grands esprits, pour nous pousser à réfléchir. Saint Augustin, relisant ce texte, s'interroge. Est-ce que cela veut dire que la foi passera ? que l'espérance passera ? Et saint Augustin, à ces deux questions, répond au moins deux fois (dans le *Sermon 158* et dans ses *Soliloques*, I, 7) par l'affirmative.

La foi passera : dans le Royaume, au Paradis, il n'y aura plus lieu de croire en Dieu, puisqu'on *sera* en Dieu, puisqu'on Le connaîtra, puisqu'on Le verra, comme disait saint Paul, face à face... « Ce ne sera plus la foi mais la vue », écrit saint Augustin. L'amour n'en sera que plus fort : « Si nous aimons maintenant, où nous croyons sans voir, comment n'aimerons-nous pas alors, quand nous verrons et posséderons ? »

L'espérance passera : au paradis, par définition, les bienheureux n'ont plus rien à espérer. Cela même que nous espérons aujourd'hui (que Dieu soit « tout en tous »), nous

« le posséderons, et ce ne sera plus une espérance mais la réalité ». L'amour n'en subsistera pas moins, ou plutôt il n'en subsistera que mieux : « La charité, alors, sera parfaite. »

Dans le Royaume, la foi et l'espérance sont donc bien appelées à disparaître : « Comment la foi serait-elle nécessaire, puisque l'âme verra ? ou l'espérance, puisqu'elle possédera ? » Ce sont vertus provisoires, qui n'ont de sens que pour cette vie-ci. « Après cette vie, ajoute saint Augustin, lorsque l'âme sera complètement recueillie en Dieu, la charité seule demeurera pour l'y fixer. » Et d'expliquer : « On ne pourra pas dire qu'elle ait la foi, qu'elle croie ces vérités, puisqu'aucun témoignage trompeur ne cherchera à l'en éloigner ; et elle n'aura non plus rien à espérer, puisqu'elle possédera tous les biens avec sécurité. » La conclusion coule de source, et saint Augustin l'énonce tranquillement : « Les trois vertus de foi, d'espérance et de charité sont nécessaires toutes trois en cette vie ; mais, après cette vie, la charité suffit. »

Saint Paul a donc raison. Dans le Royaume, il n'y aura plus de foi, il n'y aura plus d'espérance : il n'y aura que la charité, il n'y aura que l'amour !

Du point de vue de l'athée fidèle que j'essaie d'être, j'ajouterai simplement : nous y sommes. À quoi bon rêver d'un paradis ? Le Royaume, c'est ici et maintenant. À nous d'habiter cet espace à la fois matériel et spirituel (le monde, nous-mêmes : le présent), où rien n'est à croire, puisque tout est à connaître, où rien n'est à espérer, puisque tout est à faire ou à aimer – *à faire*, pour ce qui dépend de nous ; *à aimer*, pour ce qui n'en dépend pas.

Comprenez-moi bien. Je ne prétends pas faire de saint Augustin l'athée que je suis et qu'il n'était assurément pas ! Je veux simplement suggérer que, pour ceux des croyants qui pensent que nous sommes déjà, au moins pour une part, dans le Royaume, ce Royaume nous est, par définition, commun ; et que nous ne sommes dès lors séparés, eux et moi, que par l'espérance et la foi, point par l'amour ou la connaissance.

La question de savoir si ce Royaume continue ou pas après la mort, outre qu'aucun savoir n'y répond, devient dès lors quelque peu dérisoire ou anecdotique. Elle n'a d'importance, dirais-je volontiers, qu'à proportion de l'intérêt narcissique que nous nous prêtons à nous-même – au point que je mesurerais volontiers le degré d'élévation spirituelle d'un individu à l'indifférence plus ou moins grande où la question de sa propre immortalité le laisse. Si nous sommes déjà dans le Royaume, nous sommes déjà sauvés. Qu'est-ce que la mort pourrait nous prendre ? Qu'est-ce que l'immortalité pourrait nous apporter ?

Le plus étonnant, c'est que Thomas d'Aquin, lorsqu'il reprend le dossier, près de neuf siècles plus tard, va encore plus loin. Les textes essentiels se trouvent dans la *Somme théologique* (I-II, 65, 5, et II-II, 18, 2). Le Docteur angélique y dit la même chose que saint Augustin : dans le Royaume, il n'y aura plus ni la foi ni l'espérance (« ni l'une ni l'autre ne peuvent exister chez les bienheureux ») ; il n'y aura que la charité, il n'y aura que l'amour. Mais il ajoute une phrase étonnante, que je n'ai jamais lue chez saint Augustin, ni nulle part ailleurs, et dont je dois dire, lorsque je l'ai découverte, qu'elle m'a fortement secoué. Saint Thomas écrit tranquillement : « *Il y eut dans le Christ une charité parfaite ; il n'eut cependant ni la foi ni l'espérance.* »

J'entends bien que si, pour Thomas d'Aquin, le Christ n'eut ni la foi ni l'espérance, c'est que le Christ était Dieu, et que Dieu n'a pas à croire en Dieu, puisqu'il se connaît lui-même, ni à espérer quoi que ce soit, puisqu'il est à la fois omniscient et tout-puissant (on n'espère que ce qu'on ignore ou qu'on n'est pas certain de réussir). C'est ce qu'indique clairement la suite du texte : « Le Christ n'a pas eu la foi et l'espérance à cause de ce qu'il y a d'imperfection en elles. Mais à la place de la foi, il eut la vision à découvert ; et à la place de l'espérance, la pleine compréhension. Et c'est ainsi que la charité fut parfaite en lui. »

Il n'en reste pas moins que, du point de vue de l'athée fidèle que j'essaie d'être, cela donne un sens singulier, et singulièrement fort, à ce qu'un livre fameux appelait, c'était son titre, *L'Imitation de notre Seigneur Jésus-Christ*. Si Jésus, de l'aveu même de saint Thomas, n'a jamais eu ni la foi ni l'espérance, être fidèle à Jésus – et essayer, avec nos moyens, de suivre son exemple –, ce n'est pas imiter sa foi, ce n'est pas imiter son espérance ; c'est éventuellement imiter sa vision et sa compréhension, pour autant qu'on en soit capable (telles sont la foi et l'espérance, pour les chrétiens, ou la philosophie pour Spinoza) ; c'est en tout cas imiter son amour (telle est l'éthique évangélique ou, c'est la même, spinoziste).

Je sais bien qu'on peut interpréter autrement les Évangiles, et même, pour la plupart des chrétiens, qu'il le faut. J'en suis d'ailleurs d'accord : si Jésus était un homme, il devait partager aussi notre ignorance, notre finitude, notre inquiétude, donc la foi et l'espérance qui vont avec (en l'occurrence celles des Juifs pieux, dont il faisait partie). Il a connu la tristesse et l'angoisse (par exemple à Gethsémani : « Mon âme est triste à en mourir... »). Comment n'aurait-il pas connu aussi l'espoir ? Mais mon propos n'est pas d'exégèse. Ce qui me touche et m'éclaire, dans la formule de saint Thomas, comme déjà chez saint Augustin et saint Paul, c'est que l'amour est plus haut – oui : à la fois plus divin et plus humain – que la foi et l'espérance. Bref, je ne prétends aucunement annuler ce qui sépare ceux qui croient au Ciel, comme disait Aragon, et ceux qui n'y croient pas. J'essaie simplement de trouver entre eux un point de tangence ou d'intersection, de comprendre ce qui peut les rapprocher, en quoi ils peuvent se rencontrer et essayer, parfois, de communier.

C'est fidélité encore, mais à ce qui nous unit davantage qu'à ce qui nous sépare : fidélité à ce que l'humanité a produit de meilleur. Qui ne voit que les Évangiles en font partie ? Je dirais la même chose, il est vrai, de la tradition socratique, en Grèce, comme du Bouddha, en Inde, ou de Lao-Tseu et Confucius en Chine. Et alors ? Pourquoi choisir, lorsqu'il s'agit de sommets ? Pourquoi exclure, lorsqu'il s'agit de sources ? L'esprit n'a pas de patrie. L'humanité non plus. Intellectuellement, je me sens souvent plus proche du bouddhisme ou du taoïsme – et plus encore du ch'an, qui fait comme une synthèse entre les deux – que du christianisme (ne serait-ce que parce qu'il n'y a de Dieu dans aucune de ces trois spiritualités orientales, ce qui, pour un athée, est tout de même plus commode). Bouddha ou Lao-tseu me convainquent davantage que Moïse ou saint Paul. Nâgârjuna ou Dogen, davantage que Maître Eckhart ou François d'Assise. Mais enfin, je ne vais pas fonder un ashram en Auvergne, ni croire en la réincarnation, ni me mettre à épeler le *Tao-te-king*... La proximité intellectuelle n'est pas tout. Il y a aussi la longue immersion dans une société, depuis l'enfance, l'intériorisation de la langue maternelle (et des structures mentales qui vont avec), les habitudes, les traditions, les mythes, la sensibilité, l'affectivité... L'histoire compte au moins autant que l'intelligence. La géographie, davantage que les gènes. Nous sommes d'Occident. C'est une raison forte pour ne pas oublier les horreurs dont notre civilisation s'est rendue coupable (l'Inquisition, l'esclavagisme, le colonialisme, le totalitarisme...), mais aussi pour préserver ce qu'elle a pu apporter de précieux et, parfois, d'irremplaçable. Il y a des athées dans le monde entier. Mais être athée en Occident, ce ne peut pas être la même chose qu'être athée en Asie ou en Afrique. Je me méfie de l'exotisme, du tourisme spirituel, du syncrétisme, du confusionnisme *new age* ou orientalisant. J'aime mieux approfondir la tradition qui est la nôtre – celle de Socrate, celle de Jésus, celle aussi d'Épicure et de Spinoza, de Montaigne et de Kant –, et voir, puisque tel est mon chemin, où elle peut conduire un athée.

C'est ce qui m'autorise à m'adresser plus particulièrement

aux chrétiens (c'est ma famille, puisqu'elle l'a été, c'est mon histoire, puisqu'elle continue), pour leur dire ceci : je ne me sens séparé de vous que par trois jours – les trois jours qui vont, selon la tradition, du Vendredi saint à Pâques. Pour l'athée fidèle que j'essaie d'être (être athée, c'est facile, être fidèle, c'est autre chose), une grande partie des Évangiles continue de valoir. À la limite, presque tout m'y paraît vrai, sauf le Bon Dieu. Je dis « à la limite », parce que je ne suis guère porté, lorsqu'on m'agresse, à tendre l'autre joue. Je dis « presque », parce que je ne suis pas un *fan* des miracles. Mais enfin la non-violence n'est qu'une partie du message évangélique, qu'il faudrait relativiser par d'autres. Et lequel d'entre nous s'intéresse aux Évangiles à cause des miracles ? Je me souviens de ce que me dit un jour mon maître et ami Marcel Conche. Il trouve que j'attache trop d'importance à la tradition évangélique, qu'il juge peu rationnelle. Il préfère les Grecs. Il préfère la philosophie. Et de m'objecter : « Quand même, votre Jésus, pour en être réduit à marcher sur les eaux, il devait n'avoir que de bien piètres arguments ! » Cela me fit rire longtemps et me paraît juste, mais sans atteindre l'essentiel. Je me passerais volontiers des miracles, je n'y crois bien sûr pas, et d'ailleurs beaucoup de chrétiens pensent comme moi que ce n'est pas, dans les Évangiles, ce qu'il y a d'important. Jésus est autre chose qu'un fakir ou qu'un magicien. L'amour, non les miracles, constitue l'essentiel de son message.

C'est bien pourquoi sa vie, telle qu'elle nous est racontée, me touche et m'éclaire. Le nouveau-né qu'on couche dans une étable, l'enfant pourchassé, l'adolescent dialoguant avec les érudits, le même, plus tard, face aux marchands du Temple, la primauté de l'amour, à quoi se ramènent « toute la Loi et les Prophètes », le sabbat qui est fait pour l'homme et non pas l'homme pour le sabbat, l'acceptation ou l'anticipation de la laïcité (« Rendez à César ce qui est à César... »), le sens de l'universel humain (« Ce que vous avez fait au plus petit de mes frères, c'est à moi que vous l'avez fait »), l'ouverture au présent (« Prenez soin d'aujourd'hui, demain prendra soin de lui-même »), la liberté de l'esprit (« la vérité fera de vous des hommes libres »), la parabole du Bon Samaritain, celle du Jeune homme riche, celle de l'enfant prodigue, l'épisode de la femme adultère, l'accueil des bannis et des prostituées, le sermon sur la montagne (« heureux les doux, heureux les affamés de justice, heureux les artisans de paix... »), la solitude (par exemple au Mont des Oliviers), le courage, l'humiliation, la crucifixion... On serait touché à moins. Disons que je me suis forgé une espèce de Christ intérieur, « doux et humble de cœur », en effet, mais purement humain, qui m'accompagne ou me guide. Qu'il se soit pris pour Dieu, voilà ce que je ne puis croire. Sa vie et son message ne m'en émeuvent que davantage. Mais l'histoire, pour moi, s'arrête au Calvaire, quand Jésus, sur la Croix, citant le psalmiste, gémit : « Mon Dieu, mon Dieu, pourquoi m'as-tu abandonné ? » Il est ici notre frère vraiment, puisqu'il partage notre détresse, notre angoisse, notre souffrance, notre solitude, notre désespoir.

La différence, que je ne veux point escamoter, c'est que,

pour les croyants, l'histoire continue trois jours de plus. Je sais bien que ces trois jours ouvrent sur l'éternité, par la Résurrection, ce qui fait une sacrée différence, qu'il ne s'agit pas d'annuler. Mais, cela étant, serait-il raisonnable d'accorder davantage d'importance à ces trois jours, qui nous séparent, qu'aux trente-trois années qui précèdent et qui, au moins dans leur contenu humain, nous réunissent ?

Si Jésus n'avait pas ressuscité, cela donnerait-il raison à ses bourreaux ? Cela condamnerait-il son message d'amour et de justice ? Bien sûr que non. Ainsi l'essentiel est sauf, qui n'est pas le salut mais « la vérité et la vie ».

Y a-t-il une vie après la mort ? Nous n'en savons rien. Les chrétiens y croient, du moins le plus souvent. Je n'y crois pas. Mais il y a une vie *avant* la mort, et cela au moins nous rapproche !

Résumons-nous. On peut se passer de religion ; mais pas de communion, ni de fidélité, ni d'amour. Ce qui nous unit, ici, est plus important que ce qui nous sépare. Paix à tous, croyants et incroyants. La vie est plus précieuse que la religion (c'est ce qui donne tort aux inquisiteurs et aux bourreaux) ; la communion, plus précieuse que les Églises (c'est ce qui donne tort aux sectaires) ; la fidélité, plus précieuse que la foi ou que l'athéisme (c'est ce qui donne tort aux nihilistes aussi bien qu'aux fanatiques) ; enfin – c'est ce qui donne raison aux braves gens, croyants ou non – l'amour est plus précieux que l'espérance ou que le désespoir.

N'attendons pas d'être sauvés pour être humains.

II

Dieu existe-t-il ?

Venons-en au plus difficile, ou au plus incertain. Deux
questions, à propos de Dieu, s'imposent d'entrée de jeu :
celle de sa définition ; celle de son existence. Aucune science
n'y répond, ni n'y répondra jamais. Ce n'est pas une raison
pour renoncer à y réfléchir. Aucune science ne nous dit non
plus comment vivre, ni comment mourir. Ce n'est pas une
raison pour vivre ou mourir n'importe comment.

Une définition préalable

Qu'est-ce que Dieu ? Nul ne le sait : il est réputé insaisissable, ineffable, incompréhensible. Cette difficulté, toutefois, n'est pas rédhibitoire. À défaut de savoir ce qu'est Dieu,
nous pouvons préciser ce que nous entendons par le mot
qui nous sert à le désigner. À défaut d'en donner une définition *réelle*, comme disaient les scolastiques, nous pouvons et
devons en donner une définition *nominale*. Ce n'est qu'un
point de départ, mais indispensable. Comment pourrions-

nous, sans cette définition préalable, répondre à la question de son existence, ou même nous la poser sérieusement? Comment pourrions-nous en débattre?

« Professeur, croyez-vous en Dieu? » À cette question, que lui posait un journaliste, Einstein répondit simplement : « Dites-moi d'abord ce que vous entendez par Dieu ; je vous dirai ensuite si j'y crois. » C'est la bonne démarche : une définition nominale est nécessaire, pour les croyants comme pour les athées (il faut bien que les uns et les autres sachent de quoi ils parlent et ce qui les oppose, à quoi ils croient ou ne croient pas), et, au moins à titre provisoire, elle suffit.

M'inscrivant, comme je le notais au début de cet ouvrage, dans un univers monothéiste, et spécialement dans le champ de la philosophie occidentale, je propose la définition suivante, nullement originale (si elle l'était, elle serait mauvaise), qui n'a d'autre ambition que de nous mettre d'accord au moins sur l'objet du débat : *J'entends par « Dieu » un être éternel, spirituel et transcendant (à la fois extérieur et supérieur à la nature), qui aurait consciemment et volontairement créé l'univers. Il est supposé parfait et bienheureux, omniscient et omnipotent. C'est l'Être suprême, créateur et incréé (il est cause de soi), infiniment bon et juste, dont tout dépend et qui ne dépend de rien. C'est l'absolu en acte et en personne.*

Cette définition nominale donne un sens moins flou à notre deuxième question, celle de l'existence de Dieu, laquelle nous occupera bien davantage. À cette question, répétons-le, aucune science ne répond, ni même, en toute rigueur, aucun savoir (si l'on entend par *savoir*, comme il convient, le résultat communicable et contrôlable d'une démonstration ou d'une expérience). Dieu existe-t-il ? Nous ne le savons pas. Nous ne le saurons jamais, du moins en cette vie. C'est pourquoi la question se pose d'y croire ou non. Et, pour ma part, je n'y crois pas : je suis athée. Pourquoi ? C'est ce que je voudrais expliquer dans les pages qui suivent.

Athéisme ou agnosticisme ?

Je n'ai pas de preuves. Personne n'en a. Mais j'ai un certain nombre de raisons ou d'arguments, qui me paraissent plus forts que ceux allant en sens contraire. Disons que je suis un athée non dogmatique : je ne prétends pas *savoir* que Dieu n'existe pas ; je *crois* qu'il n'existe pas.

« Dans ce cas, m'objecte-t-on parfois, vous n'êtes pas athée ; vous êtes agnostique. » Cela justifie quelques mots d'explication. L'agnostique et l'athée ont en effet en commun – c'est pourquoi on les confond souvent – de ne pas croire en Dieu. Mais l'athée va plus loin : il croit que Dieu n'existe pas. L'agnostique, lui, ne croit rien : ni que Dieu existe, ni qu'il n'existe pas. C'est comme un athéisme négatif ou par défaut. Il ne nie pas l'existence de Dieu (comme fait l'athée) ; il laisse la question en suspens.

L'étymologie, ici, peut être trompeuse. *Agnôstos*, en grec, c'est l'inconnu ou l'inconnaissable. On en conclut fréquemment que l'agnostique, ce serait celui, sur la question de

Dieu ou de l'absolu, qui reconnaît son ignorance. Mais qui la nie ? S'il fallait accepter une telle définition, nous serions tous agnostiques, sauf aveuglement particulier, et l'agnosticisme perdrait en compréhension ce qu'il gagnerait en extension : ce serait moins une position particulière qu'un trait général de la condition humaine. Il n'en est rien. Personne ne *sait*, au sens fort et vrai du mot, si Dieu existe ou non. Mais le croyant affirme cette existence (c'est ce qu'on appelle une profession de foi) ; l'athée la nie ; l'agnostique ni ne l'affirme ni ne la nie : il refuse de trancher ou s'en reconnaît incapable.

La différence entre l'agnostique et l'athée, ce n'est donc pas la présence ou non d'un prétendu savoir. Heureusement pour les athées ! Si vous rencontrez quelqu'un qui vous dit : « je sais que Dieu n'existe pas », ce n'est pas d'abord un athée, c'est un imbécile. Et même chose, de mon point de vue, si vous rencontrez quelqu'un qui vous dit : « Je sais que Dieu existe ». C'est un imbécile qui prend sa foi pour un savoir.

« Alors, me répond un ami, je suis un imbécile : je suis convaincu que Dieu n'existe pas. » C'est confondre conviction et savoir. La différence entre les deux ? Celle à peu près que fait Kant, dans la *Critique de la raison pure*. Il distingue trois degrés de créance ou d'assentiment : l'*opinion*, qui a conscience d'être insuffisante aussi bien subjectivement qu'objectivement ; la *foi*, qui n'est suffisante que subjectivement, non objectivement ; enfin le *savoir*, qui est suffisant aussi bien subjectivement qu'objectivement. Sous réserve du vocabulaire (s'agissant des athées, je préfère parler de *conviction*, comme fait parfois Kant, plutôt que de *foi*, ce dernier mot relevant trop spécifiquement du vocabulaire religieux), cette distinction me paraît éclairante. L'athéisme de mon ami est une conviction, le mien serait plutôt une opinion, de même qu'on trouve des croyants convaincus (ils ont la foi) et d'autres, moins sûrs d'eux-mêmes ou de Dieu, qui se contentent d'avoir des opinions religieuses. Mais lequel, parmi les gens intelligents et lucides, prétendrait, sur l'existence de Dieu, disposer d'un *savoir*, autrement dit d'une créance subjectivement *et objectivement* suffisante ? Si tel était le cas, il devrait pouvoir nous convaincre (c'est le propre d'un savoir : il peut être transmis à tout individu normalement intelligent et cultivé), et l'athéisme aurait depuis longtemps disparu. Le moins qu'on puisse dire, c'est qu'il n'en est rien.

« Y aura-t-il encore des athées dans 50 ans ? », me demande un journaliste. Bien sûr que oui. Le fait qu'il me pose la question est pourtant révélateur d'un changement de climat : dans ma jeunesse, on se demandait plutôt s'il y aurait encore des croyants au XXIe siècle... Le retour du religieux, même inégalement réparti sur la planète, fait partie des phénomènes marquants de notre époque. Cela ne prouve évidemment rien, sauf que la question, depuis au moins trois millénaires, reste ouverte. Il n'y a pas de raison que cela change. Au-delà des modes ou des mouvements d'opinion, tout laisse entendre que religion et irréligion sont appelées à cohabiter sur la longue durée. Pourquoi faudrait-il s'en offusquer ? Cela ne gêne que les sectaires ou les fanatiques. Beaucoup de nos plus grands intellectuels sont athées, y compris en Amérique, beaucoup sont croyants, y compris en Europe. Cela confirme qu'aucun savoir – aujourd'hui pas plus qu'hier – ne permet de les départager. Cela donne raison aux esprits tolérants et ouverts, plutôt qu'aux agnostiques. La vérité, c'est que personne ne *sait* si Dieu existe, et que beaucoup, chez les croyants comme chez les athées, sont prêts à reconnaître cette ignorance indépassable, qui est le lot de l'humanité et qui fait le charme subtil, et parfois enivrant, de la métaphysique. Si vous n'aimez pas ça, n'en dégoûtez pas les autres.

Certains, chez les croyants, m'objecteront qu'ils ne sont nullement ignorants : Dieu leur a donné, une fois pour toutes, la vérité. Qu'ont-ils besoin de preuves, d'arguments, de raisons ? La Révélation leur suffit. Et de se jeter à cœur perdu dans le Livre, qu'ils apprennent par cœur ou commentent à l'infini... Que leur répondre, sinon qu'une révélation ne vaut que pour celui qui y croit, et ne saurait dès lors – sauf à tomber dans un cercle – fonder la foi qui la valide. Et puis, quelle révélation ? La Bible ? Avec ou sans le Nouveau Testament ? Le Coran ? Les Védas ? L'Avesta ? Pourquoi pas les fadaises des Raéliens ? Les religions sont innombrables. Comment choisir ? Comment les concilier ? Leurs disciples s'opposent depuis des siècles, y compris lorsqu'ils se réclament de la même révélation (les Catholiques contre les Orthodoxes, puis contre les Cathares ou les Protestants, les Chiites contre les Sunnites...). Combien de morts, au nom d'un même Livre ! Combien de massacres, au nom d'un même Dieu ! C'est une preuve suffisante de l'ignorance où ils sont tous. On ne s'entre-tue pas pour les mathématiques, ni pour aucune science, ni même pour une vérité de fait, lorsqu'elle est bien établie. On ne s'entre-tue que pour ce qu'on ignore ou qu'on est incapable de prouver. Les guerres de religions font pour cela un formidable argument contre tout dogmatisme religieux. Elles en montrent non seulement les dangers, par tant de haine et d'atrocités, mais aussi la faiblesse : si l'une quelconque de ces religions avait la moindre preuve à avancer, elle n'aurait pas eu besoin d'exterminer les autres. « C'est mettre ses conjectures à bien haut prix, disait Montaigne, que d'en faire cuire un homme tout vif. » Mais nul n'allumerait des bûchers pour une vérité qu'il pourrait démontrer. Par quoi toute Inquisition, toute Croisade, tout Djihad donnent raison, quoi qu'en pensent leurs partisans, au doute même qu'ils combattent. Cela confirme, par l'horreur, que nul, s'agissant de Dieu, ne dispose d'un savoir véritable. C'est ce qui nous voue aux guerres de religions ou à la tolérance, selon que la passion ou la lucidité l'emporte.

Ce n'est pas une raison pour ne pas se prononcer. La tolérance n'exclut pas la réflexion. L'incertitude n'interdit pas le choix (au contraire : il n'y a choix, en toute rigueur, que là où il y a incertitude). Philosopher, c'est penser plus loin qu'on ne sait. Faire de la métaphysique, c'est penser aussi loin qu'on peut. C'est où l'on rencontre la question de Dieu, et la possibilité, pour chacun, d'essayer d'y répondre.

L'agnostique, disais-je, ce n'est pas seulement celui qui

reconnaît ne pas savoir ce qu'il en est de l'absolu (beaucoup de croyants et d'athées le reconnaissent également) ; c'est celui qui s'en tient à cet aveu d'ignorance, qui refuse d'aller plus loin, qui ne veut pas se prononcer sur ce qu'il ignore, enfin qui défend une espèce de neutralité, de scepticisme ou d'indifférence en matière de religion. C'était déjà la position de Protagoras, et elle est assurément respectable : « Sur les dieux, je ne peux rien dire, ni qu'ils soient, ni qu'ils ne soient pas, ni ce qu'ils sont. Trop de choses empêchent de le savoir : d'abord l'obscurité de la question, ensuite la brièveté de la vie humaine. » Disons que l'agnostique coche la case « sans opinion » du grand sondage métaphysique. Tel n'est pas mon cas ! Je reconnais bien volontiers mon ignorance, qui est celle de tout être humain ; mais, pas plus que les croyants, je ne renonce pour autant à me prononcer, à choisir, à « parier », comme dirait Pascal, et vous verrez que mon pari n'est pas le sien. Je ne suis ni neutre ni indifférent. Sceptique ? Pour une part. Disons que je reconnais n'avoir pas de preuve. Je l'ai dit : je suis un athée non dogmatique. Mais cela n'empêche ni les convictions ni les croyances.

« Quand on croit détenir la vérité, disait Lequier, il faut savoir qu'on le croit, non pas croire qu'on le sait. » J'en suis là, spécialement en matière de religion. Je ne *sais* pas si Dieu existe, mais je sais que je *crois* qu'il n'existe pas. L'athéisme est une croyance négative (*a-théos*, en grec, cela signifie « sans Dieu »), mais c'est bien une croyance – moins qu'un savoir, donc, mais plus que le simple aveu d'une ignorance ou que le refus prudent ou confortable de se prononcer.

C'est en quoi je suis athée, j'y insiste, et non agnostique. «Nous sommes embarqués», comme dirait encore Pascal : la question de Dieu nous est posée – par notre finitude, par notre angoisse, par notre histoire, par notre civilisation, par notre intelligence, par notre ignorance même. Je ne peux ni prétendre qu'elle ne m'intéresse pas, ni feindre de n'avoir, sur la réponse, aucune opinion. Un athée non dogmatique n'est pas moins athée qu'un autre. Il est simplement plus lucide.

Dangerosité de la religion, ou du fanatisme ?

Pourquoi ne crois-je pas en Dieu? Pour de multiples raisons, dont toutes ne sont pas rationnelles. La sensibilité joue aussi, dans ces domaines (oui, il y a une sensibilité métaphysique), et la biographie, et l'imaginaire, et la culture, peut-être aussi la grâce, pour ceux qui y croient, ou l'inconscient. Qui peut dire le poids de la famille, des amis, de l'époque? S'agissant ici d'un livre de philosophie, et non d'une autobiographie, on m'excusera de m'en tenir aux arguments rationnels. Ils pourraient être fort nombreux : vingt-cinq siècles de philosophie ont accumulé, pour les deux camps, un argumentaire à peu près inépuisable. Mon propos n'étant pas d'historien, ni mon intention de faire un gros livre, je m'en tiendrai à six arguments principaux, ceux qui me paraissent les plus forts ou qui, personnellement, me convainquent le plus.

Je laisse de côté, délibérément, tout ce qu'on peut reprocher aux religions ou aux Églises, certes toujours imparfaites, certes détestables souvent, criminelles parfois, mais dont les errements ne touchent pas au vif de la question. L'Inquisition ou le terrorisme islamiste, pour ne prendre que ces deux exemples, illustrent clairement la dangerosité des religions, mais ne disent rien sur l'existence de Dieu. Toute religion, par définition, est humaine. Que toutes aient du sang sur les mains, cela pourrait rendre misanthrope, mais ne saurait suffire à justifier l'athéisme – lequel, historiquement, ne fut pas non plus sans reproches, spécialement au XXᵉ siècle, ni sans crimes.

Ce n'est pas la foi qui pousse aux massacres. C'est le fanatisme, qu'il soit religieux ou politique. C'est l'intolérance. C'est la haine. Il peut être dangereux de croire en Dieu. Voyez la Saint-Barthélemy, les Croisades, les guerres de religions, le Djihad, les attentats du 11 septembre 2001... Il peut être dangereux de n'y pas croire. Voyez Staline, Mao Tsé-Toung ou Pol Pot... Qui fera les totaux, de part et d'autre, et que pourraient-ils signifier ? L'horreur est innombrable, avec ou sans Dieu. Cela nous en apprend plus sur l'humanité, hélas, que sur la religion.

Puis il y a aussi, chez les croyants au moins autant que chez les incroyants, des héros admirables, des artistes ou des penseurs de génie, des humains bouleversants. Ce serait les trahir que de condamner en bloc ce qu'ils ont cru. J'ai trop d'admiration pour Pascal et Leibniz, Bach ou Tolstoï – sans parler de Gandhi, d'Etty Hillesum ou de Martin

Luther King – pour pouvoir mépriser la foi dont ils se réclamaient. Et trop d'affection pour plusieurs croyants, parmi mes proches, pour vouloir en rien les blesser. Le désaccord, entre amis, peut être sain, tonique, joyeux. La condescendance ou le mépris, non.

J'ai peu de goût, au demeurant, pour les pamphlets et les polémiques. C'est la vérité qui importe, non la victoire. Et c'est Dieu, dans ce chapitre, qui m'intéresse, point ses affidés ou zélateurs. Venons-en donc à lui, ou plutôt à mes raisons de n'y pas croire.

FAIBLESSE DES « PREUVES »

Mes trois premiers arguments seront surtout négatifs (ce sont moins des raisons d'être athée que des raisons de n'être pas croyant).

Le premier, il faut bien commencer par là, c'est la faiblesse des arguments opposés, et spécialement des prétendues « preuves » de l'existence de Dieu. Je ne veux pas m'y attarder (il y a bien longtemps que les philosophes, même croyants, ont renoncé à prouver Dieu), mais ne peux non plus tout à fait les passer sous silence. Il faut au moins évoquer, ne serait-ce que brièvement, les trois principales, celles qui ont été le plus souvent retenues par la tradition : la preuve ontologique, la preuve cosmologique, la preuve physico-théologique.

La preuve ontologique

La première est la plus déroutante. On en attribue communément la paternité à saint Anselme, au XIᵉ siècle, mais on la retrouvera, quoique sous des formes différentes, chez Descartes, Spinoza, Leibniz ou Hegel. De quoi s'agit-il ? De montrer que Dieu existe par définition – que l'essence et l'existence, en lui, sont indissociables ! Comment ? Par un pur exercice (ou artifice ?) logique, qui n'emprunte rien à l'expérience (ce pourquoi on appelle parfois cet argument la « preuve *a priori* »). La trame en est étrangement simple. Vous commencez, assez classiquement, par définir Dieu comme l'être suprême (saint Anselme : « un être tel que rien de plus grand ne peut être pensé »), comme l'être souverainement parfait (Descartes, Leibniz) ou absolument infini (Spinoza, Hegel). Définition traditionnelle, presque banale, mais dont les conséquences, selon les partisans de la preuve ontologique, s'avèrent décisives. Si Dieu n'existait pas, en effet, il ne serait ni le plus grand ni réellement infini, et il manquerait quelque chose, c'est le moins que l'on puisse dire, à sa perfection – ce qui est contraire à sa définition. Dieu existe donc par définition ou, c'est censé revenir au même, par essence : penser Dieu (le concevoir comme suprême, parfait, infini...), c'est le penser existant. Les athées ? Ils pensent mal, ou ne savent pas ce qu'ils pensent. Concevoir « un Dieu sans existence », explique doctement Descartes, c'est se contredire : ce serait concevoir « un être souverainement parfait sans une souveraine perfection ». Il s'ensuit que « l'existence est inséparable de Dieu, et partant qu'il existe véritablement ». Le concept de Dieu, écrira plus tard Hegel, « inclut en lui l'être » : Dieu est le seul être qui existe *par essence*.

Preuve étonnante, fascinante, agaçante. Je ne sais si elle a jamais convaincu personne (Anselme, archevêque de Canterbury, était croyant bien avant de l'inventer). Elle n'a convaincu, en tout cas, ni le frère Gaunilon, contemporain d'Anselme et bénédictin comme lui, ni saint Thomas d'Aquin : ils en feront l'un et l'autre une critique approfondie. Elle ne convaincra pas davantage Pascal, Gassendi, Hume ou Kant – sans parler de Diderot, Nietzsche, Frege ou Russell ! Drôle de preuve, qui ne convainc... que les convaincus ! D'ailleurs, comment une définition pourrait-elle prouver une existence ? Autant prétendre s'enrichir en définissant la richesse... C'était déjà, peu ou prou, l'objection de Gaunilon. Ce sera l'objection de Kant, et elle est décisive. L'être n'est ni une perfection supplémentaire, malgré Descartes, ni un prédicat réel : il n'ajoute rien au concept ni ne peut en être déduit. C'est pourquoi il est toujours illégitime de passer du concept à l'existence : il n'y a rien de plus dans mille euros réels, explique à peu près Kant, que dans mille euros possibles (le concept, dans les deux cas, est le même) ; mais je suis cependant plus riche avec mille euros réels « qu'avec leur simple concept ou possibilité ». Même chose s'agissant de Dieu : son concept reste le même, que Dieu existe ou pas, et ne saurait donc prouver qu'il existe. Bref, cette « preuve » n'en est pas une. Et comme toutes les autres, montre Kant, se ramènent à elle (elles supposent toujours qu'on puisse passer du concept à l'existence), il n'y a pas de preuve de l'existence de Dieu : celle-ci peut être postulée, non démontrée ; elle est objet de foi, non de savoir. C'était donner raison à Pascal, contre Descartes, ou à Hume, contre saint Anselme. La preuve *a priori* ne s'en relèvera pas. Hegel aura beau faire : l'argument ontologique est désormais derrière nous plutôt que devant. S'il brille encore, au point parfois d'éblouir, c'est comme un monument de l'esprit humain, bien davantage que comme une preuve de l'existence de Dieu. D'ailleurs, quand bien même l'argument prouverait, comme le voulait Hegel, l'existence d'un être absolument infini, qu'est-ce qui nous prouverait que cet être fût un Dieu ? Ce pourrait être aussi bien la Nature, comme le voulait Spinoza, autrement dit un être infini, certes, mais immanent et impersonnel, sans volonté, sans finalité, sans providence, sans amour... Je doute que cela satisfasse nos croyants.

La preuve cosmologique

Je ferai la même objection à la *preuve cosmologique*, ou preuve *a contingentia mundi* (par la contingence du monde). Mais présentons-la d'abord brièvement, telle qu'on la trouve par exemple chez Leibniz, qui en donne sans doute l'exposé le plus dense et le plus fort. Elle n'est plus *a priori* mais *a posteriori*. On part d'un fait d'expérience, qui est l'existence du monde. Ce fait, comme tous les faits, doit pouvoir s'expliquer (en vertu de ce que Leibniz appelle le principe de raison suffisante : rien n'existe ou n'est vrai sans cause ou sans raison). Or, le monde est incapable de rendre raison de lui-même : il n'est pas nécessaire mais contingent (il aurait pu ne pas exister). Il faut donc qu'il ait une cause ou une « raison suffisante », autre que lui-même. Mais laquelle ? Si cette cause était elle-même une chose contingente, il faudrait à son tour l'expliquer par une autre, qui devrait à son tour être expliquée par une troisième, et ainsi à l'infini, ce qui laisserait la série entière des choses contingentes – donc l'existence du monde – inexpliquée. Pour satisfaire au principe de raison suffisante, il faut s'arrêter quelque part, comme disait déjà Aristote. Cela ne laisse guère le choix : on ne peut échapper à la régression à l'infini qu'en supposant, comme raison suffisante du monde, un être qui n'ait plus besoin lui-même d'une autre raison, autrement dit un être absolument nécessaire (qui ne peut pas ne pas exister), lequel porte, comme dit Leibniz, « la raison de son existence avec soi ». Bref, on ne peut expliquer l'ensemble des choses contingentes (le monde) que par un être absolument nécessaire, extérieur à cet ensemble : c'est « cette dernière raison des choses » qu'on appelle Dieu.

Des trois « preuves » classiques de l'existence de Dieu, c'est la seule qui me paraisse forte, la seule qui, parfois, me fasse hésiter ou vaciller. Pourquoi ? Parce que la contingence est un abîme, où la raison se perd. Un vertige, toutefois, ne fait pas une preuve. Pourquoi la raison – notre raison – ne se perdrait-elle pas dans l'univers, s'il est trop grand pour elle, trop profond, trop complexe, trop obscur ou trop lumineux ? Qu'est-ce qui nous prouve, même, que notre raison ne déraisonne pas ? Seul un Dieu pourrait le garantir, et c'est ce qui interdit à notre raison d'en prouver l'existence (il y aurait cercle, comme chez Descartes : la raison prouve l'existence de Dieu, qui garantit la véracité de notre raison). « À la gloire du pyrrhonisme », dirait Pascal. Que notre raison, devant l'abîme de la contingence, perde pied ou soit saisie de vertige, cela explique que nous cherchions un fond, pour cet abîme ; cela ne saurait prouver qu'il en a un.

Disons la chose autrement. Le nerf de la preuve cosmologique, c'est le principe de raison suffisante, qui veut que tout fait ait une raison d'être, qui l'explique. Pourquoi le monde ? Parce que Dieu. C'est l'ordre des causes. Pourquoi Dieu ? Parce que le monde. C'est l'ordre des raisons. Mais qu'est-ce qui nous prouve qu'il y ait un ordre et que la raison ait raison ? Pourquoi n'y aurait-il pas de l'absolument inexplicable ? Pourquoi la contingence n'aurait-elle pas le dernier mot, ou le dernier silence ? Ce serait absurde ? Et alors ? Pourquoi la vérité ne le serait-elle pas ? D'ailleurs, ce serait moins absurde que mystérieux, et la vérité, pour tout esprit fini, l'est assurément. Comment pourrions-nous tout comprendre, tout expliquer, puisque ce *tout* nous précède, nous contient, nous constitue, nous traverse, enfin nous dépasse de toutes parts ? Que l'être soit mystérieux, il suffit d'être lucide pour le comprendre. Comment pourrions-nous expliquer son existence, puisque toute explication la suppose ?

Au demeurant, quand bien même on donnerait raison à Leibniz et au principe de raison, cela prouverait seulement l'existence d'un être nécessaire. Mais qu'est-ce qui nous prouve que cet être soit Dieu, je veux dire un Esprit, un Sujet, une Personne (ou trois) ? Ce pourrait être aussi bien l'*apeiron* (l'infini, l'indéterminé) d'Anaximandre, le feu toujours changeant d'Héraclite (le devenir), l'Être impersonnel de Parménide, le Tao – tout aussi impersonnel – de Lao-Tseu... Ce pourrait être la Substance de Spinoza, laquelle est absolument nécessaire, cause de soi et de tout, éternelle et infinie, mais immanente (ses effets sont en elle) et dépourvue, je le rappelais à propos de la preuve ontologique, de tout trait anthropomorphique : elle est sans conscience, sans volonté, sans amour. Spinoza l'appelle « Dieu », certes, mais ce n'est pas un *Bon* Dieu : ce n'est que la Nature (c'est ce qu'on appelle le panthéisme spinoziste : « *Deus sive Natura*, Dieu c'est-à-dire la Nature »), laquelle n'est pas un sujet et ne poursuit aucun but. À quoi bon la prier, puisqu'elle ne nous écoute pas ? Comment lui obéir, puisqu'elle ne nous demande rien ? Pourquoi lui faire confiance, puisqu'elle ne s'occupe pas de nous ? Et que reste-t-il alors de la foi ? Leibniz ne s'y est pas trompé. Ce panthéisme-là est plus près de l'athéisme que de la religion.

Qu'il y ait de l'être, ce n'est pas en discussion. Et que cet être soit nécessaire, je suis porté, moi aussi, à le penser. C'est mon côté spinoziste. Le monde *aurait pu* ne pas être ?

Certes, mais pour l'imaginaire seulement et tant qu'il n'était pas (c'est ce qu'indique cet irréel du passé : *aurait pu*), point en lui-même et tant qu'il est. Au présent, le réel ne connaît que l'indicatif, ou plutôt l'indicatif présent est le seul temps du réel, qui le voue à la nécessité. Parce que tout serait écrit à l'avance ? Nullement. Mais parce que tout est, et ne saurait (au présent) être autre chose. Le principe d'identité y suffit : ce qui est ne peut pas ne pas être, puisqu'il est. C'est le vrai principe de raison, et le seul peut-être. Le possible ? C'est du réel ou ce n'est pas. La contingence n'est que l'ombre portée du néant ou de l'imaginaire – ce qui ne fut pas, ce qui aurait pu être – dans l'immense clairière du devenir ou de l'être (ce qui fut, ce qui est, ce qui sera). Disons, mais je ne peux m'y attarder, que la contingence n'est pensable que *sub specie temporis* (du point de vue du temps), la nécessité, que *sub specie aeternitatis* (du point de vue de l'éternité), et que les deux, au présent, ne font qu'un. De même, me semble-t-il, le mystère et l'évidence.

Le mystère de l'être

« Je ne suis pas athée, m'explique un ami : je crois qu'il y a quelque chose, une énergie… » Pardi ! Moi aussi je crois qu'il y a quelque chose, une énergie (c'est d'ailleurs ce que nous apprennent nos physiciens : l'être est énergie). Mais croire en Dieu, ce n'est pas croire en une énergie ; c'est croire en une volonté ou en un amour ! Ce n'est pas croire en quelque chose ; c'est croire en Quelqu'un ! Et c'est à cette volonté, à cet amour, à ce Quelqu'un – le Dieu d'Abraham et de Jacob, celui de Jésus ou de Mahomet – que, pour ma part, je ne crois pas.

Qu'il y ait quelque chose, nul n'en doute. Et que cet être soit une force (l'*energeia* des Grecs, le *conatus* de Spinoza, l'énergie de nos physiciens), il suffit de regarder la nature pour s'en apercevoir. La question est de savoir *pourquoi* il y a quelque chose. Pourquoi la nature ? Pourquoi l'énergie ? Pourquoi l'être ? Pourquoi le devenir ? C'est la grande question de Leibniz : « Pourquoi y a-t-il quelque chose plutôt que rien ? » La question va au-delà de Dieu, puisqu'elle l'inclut. Pourquoi Dieu plutôt que rien ? Ainsi la question de l'être est première, et revient toujours. Or, à cette question, nul ne peut répondre. Affirmer que l'être est éternel, ce n'est pas l'expliquer : qu'il y ait toujours eu de l'être, cela nous dispense d'en chercher le commencement ou l'origine, non d'en chercher la raison. Penser l'être comme nécessaire, ce n'est pas davantage l'expliquer ; c'est constater qu'il ne s'explique que par lui-même (il est « cause de soi », disent souvent les philosophes), ce qui le rend, pour nous et à jamais, inexplicable.

Les philosophes n'échappent pas davantage au mystère que les physiciens ou les théologiens. Pourquoi le big-bang plutôt que rien ? Pourquoi Dieu plutôt que rien ? Pourquoi tout plutôt que rien ? La question « Pourquoi y a-t-il quelque chose plutôt que rien ? » se pose d'autant plus nécessairement qu'elle est sans réponse possible. C'est ce qui la rend fascinante, éclairante, tonique : elle nous renvoie à ce que j'appelle le mystère de l'être, indissociable de son évidence. Elle nous réveille de notre sommeil positiviste. Elle secoue nos habitudes, nos familiarités, nos prétendues évidences. Elle nous arrache, au moins un temps, à l'apparente banalité de tout, à l'apparente normalité de tout. Elle nous renvoie à l'étonnement premier : il y a quelque chose, et non pas rien ! Et personne, jamais, ne pourra dire pourquoi, puisqu'on ne pourrait expliquer l'existence de l'être que par un être, autrement dit qu'à la condition de présupposer d'abord ce qu'on veut expliquer. L'existence de l'être est donc foncièrement mystérieuse, c'est cela qu'il faut comprendre, et que ce mystère est irréductible. Parce qu'il est impénétrable ? Au contraire : parce que nous sommes dedans. Parce qu'il est trop obscur ? Au contraire : parce qu'il est la lumière même.

La preuve physico-théologique

La preuve ontologique ne prouve rien. La preuve cosmologique ne prouve, dans le meilleur des cas, que l'existence d'un être nécessaire, non celle d'un Dieu spirituel ou personnel. C'est peut-être ce qui justifie le succès, depuis au moins vingt-cinq siècles, d'une troisième « preuve », qu'on appelle traditionnellement *la preuve physico-théologique*. C'est la plus populaire. C'est la plus simple. C'est la plus évidente et la plus discutable. On la trouvait déjà chez Platon, chez les stoïciens, chez Cicéron. On la retrouve chez Malebranche, Fénelon, Leibniz, Voltaire, Rousseau... C'est une preuve *a posteriori*, fondée sur les idées d'ordre et de finalité (ce pourquoi il m'arrive de l'appeler la preuve physico-*téléologique*, du grec *telos*, la fin, le but). La démarche en est simple, presque naïve. On part de l'observation du monde ; on y constate un ordre, d'une complexité indépassable ; on conclut de là à une intelligence ordonnatrice. C'est ce qu'on appelle aujourd'hui la théorie du « dessein intelligent ». Le monde serait trop ordonné, trop complexe, trop beau, trop harmonieux pour que ce puisse être le fait du hasard ; une telle réussite supposerait, à son origine, une intelligence créatrice et ordonnatrice, qui ne peut être que Dieu.

L'argument, c'est le moins que l'on puisse dire, n'est pas nouveau. C'était déjà celui de Cicéron, dans le *De natura deorum*. C'était celui de Voltaire, à la fois libre-penseur et déiste : « Tout ouvrage qui nous montre des moyens et une fin annonce un ouvrier ; donc cet univers, composé de ressorts, de moyens dont chacun a sa fin, découvre un ouvrier très puissant, très intelligent. » Ce que le même Voltaire résuma en deux vers fameux :

« L'univers m'embarrasse, et je ne puis songer
Que cette horloge existe et n'ait point d'horloger. »

L'argument de l'horloge, qui est traditionnel, doit être pris au sérieux. Ce n'est bien sûr qu'une analogie, mais suggestive. Imaginons qu'un de nos astronautes découvre, sur une planète apparemment inhabitée, une montre. Nul ne pourrait imaginer qu'un mécanisme aussi complexe soit le résultat du hasard : nous serions tous certains, en vérité, que cette montre a été fabriquée par un être doué d'intelligence et de volonté. Or l'univers, ou l'une quelconque de ses parties (la moindre fleur, le moindre insecte, le moindre de nos organes...), est d'une complexité bien plus grande que cette montre : il faut donc leur supposer, comme dans le cas de la montre et *a fortiori*, un auteur intelligent et volontaire, qui ne peut être – puisqu'il s'agit d'expliquer l'univers entier – que Dieu.

Pour suggestive qu'elle soit, l'analogie n'est pourtant pas sans faiblesses. C'est d'abord qu'elle n'est qu'une analogie (l'univers, d'évidence, n'est pas fait de ressorts et d'engrenages). C'est ensuite qu'elle fait peu de cas, j'y reviendrai, des désordres, des horreurs, des dysfonctionnements, qui sont innombrables. Une tumeur cancéreuse est aussi une espèce de minuterie (comme dans une bombe à retardement) ; un tremblement de terre, si l'on veut filer la métaphore horlogère, fait comme une sonnerie ou un vibreur planétaires. En quoi cela prouve-t-il que tumeurs ou cataclysmes relèvent d'un dessein intelligent et bienveillant ? Enfin, et surtout, l'analogie de Voltaire ou Rousseau a vieilli : parce qu'elle se donne un modèle mécanique (telle était la physique du XVIIIe siècle), alors que la nature, telle que nos scientifiques la décrivent, relève plutôt de la dynamique (l'être est énergie), de l'indéterminisme (la Nature joue aux dés : c'est en quoi elle n'est pas Dieu) et de l'entropie générale (que dirait-on d'une horloge qui tendrait vers un désordre maximal ?). La vie crée de l'ordre, de la complexité, du sens ? Certes. Mais cette néguentropie du vivant, outre qu'elle reste locale et provisoire (elle ne survivra pas, sur Terre, à l'extinction du Soleil), s'explique, depuis Darwin, de mieux en mieux : l'évolution des espèces et la sélection naturelle remplacent avantageusement – par une hypothèse plus simple – le plan providentiel d'un mystérieux Créateur. On comprend que les partisans du «dessein intelligent» s'en prennent si souvent au darwinisme, jusqu'à prétendre parfois – au nom de la Bible ! – en interdire l'enseignement ou le mettre au même niveau que la Genèse. Si le hasard (des mutations) crée de l'ordre (par la sélection naturelle), on n'a plus besoin d'un Dieu pour expliquer l'apparition de l'homme. La nature y suffit. Cela ne prouve pas que Dieu n'existe pas, mais retire un argument aux croyants.

Méfions-nous des analogies. La vie est plus complexe qu'une horloge, mais aussi plus féconde (avez-vous déjà vu une montre faire des petits ?), plus évolutive, plus sélective, plus créatrice. Cela change tout ! Si nous trouvions une montre sur une planète jusque-là inexplorée, nul ne douterait qu'elle résulte d'une action volontaire et intelligente. Mais si nous y trouvions une bactérie, une fleur ou un animal, aucun scientifique, même croyant, ne douterait que cet être vivant, aussi complexe fût-il, résulte des seules lois de la nature. On m'objectera que cela n'explique pas ces lois elles-mêmes. J'en suis d'accord. C'est en quoi l'existence de Dieu reste pensable, tout autant – mais pas davantage – que son inexistence. Il n'en reste pas moins que la preuve physico-théologique a beaucoup souffert des progrès des sciences : ce qu'il y a d'ordre et d'apparente finalité (le mouvement des planètes, la téléonomie des êtres vivants) s'explique de mieux en mieux ; ce qu'il y a de désordre et de hasard se constate de plus en plus. Le jour où le soleil va s'éteindre, dans 5 milliards d'années, la preuve physico-théologique aura perdu, selon toute vraisemblance, la plupart de ses partisans. Ou bien c'est qu'ils seront au paradis. Cette alternative, qui reste ouverte, dit assez que cette « preuve » n'en est pas une.

L'absence de preuve : une raison de ne pas croire

D'autres « preuves » ont été avancées, on s'en doute, mais qui recoupent presque toutes l'une des trois que je viens d'évoquer. C'est le cas, pour prendre un exemple éminent, des cinq « voies » de Thomas d'Aquin, qui visent à démontrer l'existence de Dieu à partir de la connaissance sensible de ses effets. Les trois premières (celle par le mouvement, qui débouche, comme chez Aristote, sur un Premier Moteur immobile, celle par la cause efficiente, qui débouche, comme chez Avicenne, sur une Cause première, celle par le possible, qui débouche sur un Être absolument nécessaire) sont proches de la preuve cosmologique ; la quatrième (celle par les degrés d'être, qui débouche sur un Être suprême), n'est pas sans rapports, quoiqu'elle soit *a posteriori*, avec l'argument de saint Anselme ; enfin la cinquième voie (celle par la cause finale, qui débouche sur une Intelligence ordonnatrice) n'est qu'un énoncé parmi d'autres de l'argument physico-théologique.

Quant à Descartes, on sait qu'il ne se contente pas de la preuve ontologique. Dès la Troisième Méditation métaphysique (l'argument ontologique n'est exposé que dans la Cinquième), il a proposé, lui aussi, ses « preuves par les effets », qu'on ne saurait pourtant confondre avec la preuve cosmologique ni avec les « voies » de Thomas d'Aquin : l'existence de Dieu y est inférée non pas de celle du monde (que Descartes, en ce point de son exposé, considère encore comme douteuse), mais de cela seul que le *Cogito* autorise, à savoir de l'existence en lui de l'idée de Dieu en tant que substance infinie (première preuve par les effets), ou bien de sa propre existence, en tant qu'il possède cette idée (seconde preuve par les effets). Les deux preuves, de l'aveu même de Descartes, se rejoignent sur l'essentiel. Je trouve en moi l'idée de Dieu, comme Être infini et parfait ; cette idée, comme toute chose, doit avoir une cause ; et comme « il doit y avoir au moins autant de réalité dans la cause que dans son effet », cette cause doit être elle-même infinie et parfaite : ce ne peut être que Dieu.

L'argument me convainc encore moins que l'argument ontologique. Pourquoi ? D'abord, une nouvelle fois, parce que rien ne prouve – sauf à le présupposer dans l'idée de perfection, ce qui ne va pas de soi – que cette cause infinie soit un Sujet ou un Esprit (ce pourrait être la

Nature) ; ensuite parce qu'il n'est pas du tout évident qu'il doive y avoir au moins autant de réalité dans la cause que dans l'effet (les atomes ne pensent pas ; cela n'exclut pas qu'ils soient cause de la pensée, dans notre cerveau) ; enfin, et surtout, parce que l'idée d'infini, en l'homme, est une idée finie, comme l'idée de perfection est une idée imparfaite. J'y verrais presque un propre de l'homme. Qu'est-ce qu'un être humain ? C'est un être fini (à la différence de Dieu), qui a une idée de l'infini (à la différence des animaux), un être imparfait qui a une idée de la perfection. Mais ces idées, humanité oblige, sont elles-mêmes finies et imparfaites. Comment pourrions-nous autrement les penser ? L'homme est un être fini ouvert sur l'infini, un être imparfait qui rêve de perfection. C'est ce qu'on appelle un esprit, et cette grandeur-là est d'autant plus grande qu'elle n'ignore pas sa propre finitude. Cela rend la « preuve » de Descartes inopérante. Dès lors que cette idée en nous de l'infini est finie, rien n'empêche que le cerveau suffise à l'expliquer (que le cerveau soit l'esprit en puissance, comme l'esprit est le cerveau en acte). Finitude de l'homme, grandeur de l'homme : finitude du corps, grandeur de l'esprit.

Que conclure de tout cela ? Qu'il n'y a pas de preuve de l'existence de Dieu, qu'il ne peut y en avoir. Tant pis pour les dogmatiques. La métaphysique n'est pas une science. La théologie, encore moins. Et aucune science n'en tient lieu. C'est qu'aucune science n'atteint l'absolu – ou qu'aucune, en tout cas, ne l'atteint absolument. Dieu n'est pas un théorème. Il ne s'agit pas de le prouver, ni de le démontrer, mais d'y croire ou pas.

On m'objectera qu'il n'y a pas davantage de preuve que Dieu n'existe pas. Je le reconnais bien volontiers. La chose, toutefois, est moins embarrassante pour l'athéisme que pour la religion. Non seulement parce que la charge de la preuve, comme on dit, incombe à celui qui affirme, mais encore parce qu'on ne peut prouver, dans le meilleur des cas, que ce qui est, non, à l'échelle de l'infini, ce qui n'est pas. Un néant, par définition, est sans effet. Comment ne serait-il pas sans preuve ? Je peux certes prouver, avec un peu de chance, que je n'ai pas commis tel acte dont on m'accuse : il suffit pour cela que j'en fasse ressortir l'impossibilité, par exemple en prouvant que j'étais, au moment où le forfait fut accompli, à mille kilomètres de là. C'est ce qu'on appelle avoir un alibi. Un témoin extérieur y suffit. Mais il n'y a pas d'alibi possible pour le néant, ni de témoin extérieur pour le Tout. Comment prouverait-on une *inexistence* ? Essayez, par exemple, de prouver que le Père Noël n'existe pas, ni les vampires, ni les fées, ni les loups-garous... Vous n'y parviendrez pas. Ce n'est pas une raison pour y croire. Qu'on n'ait jamais pu prouver leur existence est en revanche une raison forte pour refuser d'y prêter foi. Il en va de même, toutes proportions bien gardées (j'accorde que l'enjeu est plus grand, l'improbabilité moindre), de l'existence de Dieu : l'absence de preuve, la concernant, est un argument contre toute religion théiste. Si ce n'est pas encore une raison d'être athée, c'en est une, à tout le moins, de n'être pas croyant.

Faiblesse des expériences

Faiblesse des preuves, donc, puisqu'elles n'en sont pas. Mais faiblesse aussi, et surtout, des expériences. C'est mon deuxième argument, toujours négatif. Il m'importe davantage que le précédent. L'expérience, s'agissant d'une question de fait, est plus décisive que les raisonnements.

L'une de mes principales raisons de ne pas croire en Dieu, c'est que je n'en ai aucune expérience. C'est l'argument le plus simple. C'est l'un des plus forts. On ne m'ôtera pas de l'idée que, si Dieu existait, cela devrait se voir ou se sentir davantage. Il suffirait d'ouvrir les yeux ou l'âme. C'est ce que j'essaie de faire. Et plus j'y parviens, plus c'est le monde que je vois, plus ce sont des humains que j'aime.

La plupart de nos théologiens, et quelques-uns de nos philosophes, se donnent du mal pour nous convaincre que Dieu existe. C'est bien aimable à eux. Mais enfin il serait plus simple, et plus efficace, que Dieu consente à se montrer ! C'est toujours la première objection qui me vient, lorsqu'un croyant essaie de me convertir. « Pourquoi te donnes-tu tant de mal ?, ai-je envie de lui demander. Si Dieu voulait que je croie, ce serait vite fait ! S'il ne le veut pas, à quoi bon t'obstiner ? »

Je sais bien que les croyants, au moins depuis Isaïe, invoquent « un Dieu qui se cache », *Deus absconditus*... Certains y voient une qualité supplémentaire, comme une discrétion divine, une délicatesse surnaturelle, d'autant plus admirable qu'elle nous protège du plus beau, du plus étonnant, du plus éblouissant des spectacles ! Tel n'est pas mon sentiment. Je m'étonne, bien au contraire, d'un Dieu qui se cache aussi obstinément. J'y verrais, si j'y croyais, moins de délicatesse que d'enfantillage, moins de discrétion que de dissimulation. Je n'ai plus l'âge de jouer à cache-cache, ni à *« Dieu y es-tu ? »*. Le monde et la vie m'intéressent davantage.

Filons la métaphore anthropomorphique, telle qu'elle est inscrite dans la notion même d'un « Dieu caché », laquelle fait partie de la tradition la mieux avérée – on la trouve dans la kabbale, chez saint Augustin, chez Luther, chez Pascal – et que j'essaie simplement de comprendre. Les humains ne se cachent, sauf pour jouer, que lorsqu'ils ont peur ou honte. Mais Dieu ? La toute-puissance le dispense de peur ; la perfection, de honte. Alors ? Pourquoi se cache-t-il à ce point ? Pour nous faire la surprise ? Pour s'amuser ? Ce serait jouer avec notre détresse. *« Mon Dieu, mon Dieu, pourquoi m'as-tu abandonné ?... »* Celui-là est notre frère de douleur. Mais celui qui se cache pendant qu'on crucifie son enfant ? Quel Dieu cela pourrait-il divertir ?

Laissons la métaphore. Venons-en au fond. Dieu, même présent partout (« ubiquitaire »), est invisible. C'est donc – puisqu'il est réputé tout-puissant – qu'il refuse de se montrer. Pourquoi ?

La réponse la plus fréquente, chez les croyants, c'est que Dieu se cache pour respecter notre liberté, voire pour la rendre possible. S'il se manifestait dans toute sa gloire, nous explique-t-on, nous n'aurions plus le choix de croire ou non en lui. La foi s'imposerait, ou plutôt ce ne serait plus une foi mais une évidence. Que resterait-il de notre liberté ? Rien, explique Kant dans la *Critique de la raison pratique*, et la morale n'y survivrait pas. Si Dieu était « sans cesse devant nos yeux », en effet, ou même si nous pouvions prouver son existence, ce qui revient au même, cette certitude nous vouerait à l'hétéronomie, comme dit Kant, autrement dit à la soumission intéressée. Ce ne serait plus morale mais prudence. Nous éviterions certes de transgresser les commandements, la loi morale serait factuellement respectée, mais seulement par intérêt : « La plupart des actions conformes à la loi seraient produites par la crainte, quelques-unes seulement par l'espérance, et aucune par devoir », si bien, conclut Kant, que « la valeur morale des actions n'existerait plus ». Nous serions comme « des marionnettes » de l'égoïsme, dont l'espoir (d'une récompense) et la peur (d'un châtiment) seraient les ficelles. « Tout gesticulerait bien », mais c'en serait fini de notre liberté. Inversement, c'est parce que Dieu se cache ou reste incertain que nous sommes libres d'y croire ou non, donc libres aussi, selon Kant, de faire ou non notre devoir.

La réponse me paraît faible, pour trois raisons principales.

La première, c'est que si Dieu se cachait pour nous laisser libres, si l'ignorance, pour le dire autrement, était la condition de notre liberté, nous serions plus libres que Dieu lui-même, puisqu'il n'a pas le choix, le pauvre, de croire ou non en sa propre existence! Nous serions aussi plus libres que tel ou tel de ses prophètes ou propagandistes, auxquels il se serait, selon la tradition, manifesté directement. Enfin, nous serions plus libres sur Terre que les bienheureux dans leur Paradis, eux qui voient Dieu « face à face », comme l'annonce la Première Épître aux Corinthiens, ou en ont ce que nos théologiens appellent délicieusement la « vision béatifique »... Or, l'idée que nous soyons, nous, les humains ordinaires, plus libres que Dieu, ou même plus libres qu'Abraham, saint Paul ou Mahomet, ou simplement plus libres que les bienheureux, me paraît aussi impossible à accepter, d'un point de vue théologique, que difficile, d'un point de vue philosophique, à penser...

La deuxième raison, qui m'amène à refuser cette explication, c'est qu'il y a moins de liberté dans l'ignorance que dans la connaissance. C'est l'esprit des Lumières, toujours vivant, toujours nécessaire, contre tout obscurantisme. Prétendre que Dieu se cache afin de préserver notre liberté, ce serait supposer que l'ignorance est un facteur de liberté. Quel enseignant pourrait l'accepter ? Quel parent digne de ce nom ? Si nous voulons que tout enfant puisse avoir accès à l'école, c'est parce que nous pensons, à l'inverse, qu'il y a toujours plus de liberté dans la connaissance que dans l'ignorance. Nous avons raison. C'est l'esprit de la laïcité. C'est l'esprit aussi des Évangiles, au moins pour une part (« la vérité vous libérera », écrit saint Jean). C'est l'esprit tout court. Mais alors l'ignorance où Dieu nous maintient, s'agissant de sa propre existence, ne saurait se justifier par le souci qu'il aurait de nous laisser libres. C'est la connaissance qui libère, pas l'ignorance.

Quant à l'argument de Kant (si Dieu se montrait à nous, toutes nos actions ne s'expliqueraient plus que par l'espoir et la crainte, aucune ne serait accomplie par devoir), il montre surtout que les idées de récompense et de châtiment, d'espoir et de crainte, sont foncièrement étrangères à la morale, et ne peuvent, si on les absolutise, que la pervertir. J'en suis d'accord. Agir moralement, c'est agir de façon désintéressée, montre Kant, ce qui suppose qu'on fasse son devoir « sans rien espérer pour cela ». J'applaudis des deux mains. Mais cela fait un argument contre l'enfer et le paradis, bien davantage qu'une justification de l'ignorance humaine ou de la dissimulation divine.

Enfin, la troisième raison qui m'amène à refuser cette réponse, c'est qu'elle me paraît incompatible avec l'idée – si belle et si fortement ancrée dans la tradition qui est la nôtre – d'un Dieu Père. J'ai trois enfants. Leur liberté, du temps où ils étaient petits, c'était de m'obéir ou pas, de me respecter ou pas, éventuellement de m'aimer ou pas. Encore fallait-il qu'ils sachent que j'existe ! Encore fallait-il que je m'en occupe assez pour qu'ils puissent en effet devenir libres ! Que penseriez-vous d'un père qui se cacherait de ses enfants ? « Je n'ai rien fait pour leur manifester mon existence, vous expliquerait-il, ils ne m'ont jamais vu, jamais rencontré : je les ai laissé croire qu'ils étaient orphelins ou de père inconnu, afin qu'ils restent libres de croire ou pas en moi... » Vous penseriez que ce père est un malade, un fou, un monstre. Vous auriez évidemment raison. Et quel Père faudrait-il être pour se cacher encore à Auschwitz, au Goulag, au Rwanda, quand ses enfants sont déportés, humiliés, affamés, assassinés, torturés? L'idée d'un Dieu qui se cache est inconciliable avec l'idée d'un Dieu Père. Et rend l'idée même de Dieu contradictoire : ce Dieu-là n'en serait pas un.

« Faiblesse des expériences? Parlez pour vous! », me rétorqueront certains : « Je ne cesse de sentir l'existence de Dieu, sa présence, son écoute, son amour! »

Que puis-je leur objecter, sinon que je n'ai jamais rien éprouvé de tel? Ce n'est pas faute de l'avoir cherché, ni d'y avoir cru. Mais la foi, pour moi, n'a jamais tenu lieu de présence. Oh le vide de Dieu, dans les églises pleines! Oh son silence, dans nos murmures! Je m'en étais ouvert, adolescent, à l'aumônier de mon lycée : « J'ai beau prier, lui disais-je, Dieu, lui, ne me parle pas... » Le prêtre, homme de cœur et d'esprit, me répondit joliment : « Dieu ne parle pas, parce qu'Il écoute. » Cela me fit rêver longtemps. À la longue, toutefois, ce silence me lassa, puis me parut suspect. Comment savoir si c'est celui de l'écoute ou de l'inexistence? Cela me fait penser à cette boutade que raconte quelque part Woody Allen : « Je suis effondré! Je viens d'apprendre que mon psychanalyste était mort depuis deux ans : je ne m'en étais pas rendu compte! » Encore peut-on changer de psychanalyste. Mais de Dieu, s'il n'y en a qu'un ou s'ils se taisent tous?

À chacun son expérience. L'une des rares choses dont je

sois certain, en matière de religion, c'est que Dieu ne m'a jamais rien dit. Mais c'est moins une objection, en vérité, qu'un constat. D'autres, qui ne sont pas moins sincères que moi, semblent en effet expérimenter une présence, un amour, une communication, un échange... Tant mieux pour eux, si cela les aide. L'humanité est trop faible, et la vie trop difficile, pour qu'on puisse se permettre de cracher sur la foi de quiconque. Je hais tous les fanatismes, y compris athées.

Une expérience que tous ne partagent pas, qui n'est ni contrôlable ni réitérable par d'autres, n'en reste pas moins fragile. Comment savoir ce qu'elle vaut ? Plusieurs ont vu des fantômes, ou communiquent avec des esprits en faisant tourner des tables... Dois-je y croire ? Que la plupart soient de bonne foi, je n'en doute pas ; mais qu'est-ce que cela prouve ? L'hypocrisie est l'exception ; la crédulité, hélas, ne l'est pas. L'autosuggestion, dans ces domaines, est moins improbable qu'une intervention surnaturelle.

Faiblesse des expériences, donc. Cela, certes, ne prouve rien ; mais c'est une raison forte de ne pas croire. Si Dieu ne se montre pas – en tout cas pas à moi et pas à tous –, c'est peut-être qu'il veut se cacher. C'est peut-être aussi, et l'hypothèse me paraît plus simple, qu'il n'existe pas.

Une explication incompréhensible

Mon troisième argument reste négatif, sans se confondre avec les deux premiers. Il touche moins aux preuves qu'aux explications, moins à l'expérience qu'à la rationalité, moins à l'existence qu'au concept.

Croire en Dieu, d'un point de vue théorique, cela revient toujours à vouloir expliquer quelque chose que l'on ne comprend pas – le monde, la vie, la conscience – par quelque chose que l'on comprend encore moins : Dieu. Comment se satisfaire, intellectuellement, d'une telle démarche?

Ne nous méprenons pas sur cet argument. Il ne s'agit pas d'attendre de la connaissance scientifique, quelque specta-culaires qu'aient été ses victoires, surtout depuis trois siècles, qu'elle prouve quoi que ce soit contre l'existence de Dieu. Si tout progrès scientifique semble faire reculer d'autant la religion, au moins ponctuellement (ce qu'on explique par les lois de la nature, plus besoin de l'expliquer par Dieu), c'est sans pouvoir globalement la réfuter ni, encore moins, en tenir lieu (car qu'est-ce qui explique les lois de la nature?). Plus personne, aujourd'hui, n'expliquerait les marées ou les éclipses par la volonté divine. Mais personne, aujourd'hui pas plus qu'hier, n'est en état d'expliquer la nature elle-même. Par quoi le scientisme, qui serait une religion de la science, est aussi douteux que toutes les autres. Il est aussi moins poétique, et plus sot. Il passe à côté de la question qu'il prétend résoudre.

Mon argument est différent. Il ne s'agit pas de rempla-cer la religion par la science ; il s'agit de constater que les explications (d'ordre surnaturel, non scientifique) que les religions prétendent apporter – par exemple à l'existence du

monde, de la vie ou de la conscience – ont en commun...
de n'expliquer rien, sinon par de l'inexplicable ! C'est bien
commode, et bien vain. Il est clair que sur le monde, sur la
conscience, sur la vie, je ne comprends pas tout. Il y a de l'inconnu ; c'est ce qui permet à la connaissance de progresser. Il
y en aura toujours ; c'est ce qui nous voue au mystère. Mais
pourquoi ce mystère serait-il Dieu ? D'autant qu'il est tout
aussi clair que, sur Dieu, je ne comprends rien – puisqu'il
est par définition incompréhensible ! C'est ce qui fait de sa
volonté, comme disait Spinoza, « l'asile de l'ignorance ». On
s'y réfugie pour expliquer ce qu'on ne comprend pas. La
religion devient la solution universelle, comme un passe-
partout théorique – mais qui n'ouvrirait que des portes
imaginaires. À quoi bon ? Dieu explique tout, puisqu'il est
tout-puissant ; mais vainement, puisqu'il expliquerait aussi
bien le contraire. Le Soleil tourne autour de la Terre ? C'est
que Dieu l'a voulu. La Terre tourne autour du Soleil ? C'est
que Dieu l'a voulu. Nous voilà bien avancés ! Et que vaut
cette explication, dans l'un ou l'autre cas, dès lors que Dieu
lui-même reste inexplicable et incompréhensible ?

J'aime mieux accepter le mystère pour ce qu'il est : la part
d'inconnu ou d'inconnaissable qui enveloppe toute connaissance, toute existence, la part d'inexplicable que suppose ou
rencontre toute explication. C'est vrai d'un point de vue
ontologique : c'est ce que j'appelais plus haut le mystère de
l'être. Pourquoi y a-t-il quelque chose plutôt que rien ? Nous
ne le savons pas. Nous ne le saurons jamais. Mais c'est vrai
aussi d'un point de vue physique ou scientifique. Pourquoi

les lois de la nature sont-elles ce qu'elles sont ? Nous ne le savons pas davantage. Il est vraisemblable que nous ne le saurons jamais (puisqu'on ne pourrait les expliquer que par d'autres lois). Nommer ce mystère « Dieu », c'est se rassurer à bon compte, sans le lever. Pourquoi Dieu plutôt que rien ? Pourquoi ces lois plutôt que d'autres ? Le silence, devant le silence de l'univers, me paraît plus juste, plus fidèle à l'évidence et au mystère, peut-être aussi, j'y reviendrai dans le prochain chapitre, plus authentiquement spirituel. Prier ? Interpréter ? Ce n'est que mettre des mots sur le silence. La contemplation vaut mieux. L'attention vaut mieux. L'action vaut mieux. Le monde m'intéresse davantage que la Bible ou le Coran. Il est plus mystérieux qu'eux, plus vaste (puisqu'il les contient), plus insondable, plus étonnant, plus tonique (puisqu'on peut le transformer, quand ils sont réputés intouchables), plus vrai enfin (puisqu'il l'est intégralement, ce que la Bible et le Coran, pleins de niaiseries et de contradictions, ne sauraient être, sinon en tant qu'ils font partie du monde : qu'un texte humain se contredise, ce n'est pas contradictoire). Mystère de l'être : évidence de l'être. Quoi de plus banal, à côté, quoi de plus prévisible, quoi de plus ennuyeux qu'un catéchisme ? C'est qu'il nous ressemble. « Si Dieu nous a faits à son image, disait Voltaire, nous le lui avons bien rendu. » Dieu, asile de l'ignorance et de l'anthropomorphisme. L'univers, ouverture et risque, pour toute connaissance et pour toute action.

Un ami peintre, sans religion particulière, me dit un jour : « Je ne suis pas athée ; je crois qu'il y a du mystère... »

La belle affaire! Moi aussi, je crois qu'il y a du mystère! Je pense même qu'il n'y a que cela : on peut certes expliquer beaucoup de choses, mais pas tout, ni même la série entière des choses explicables, de telle sorte que tout ce qu'on explique baigne dans de l'inexpliqué. « La vérité est au fond de l'abîme », disait Démocrite, et l'abîme est sans fond. C'est notre lieu. C'est notre lot. Il n'y a rien de plus mystérieux que l'existence du monde, de la nature, de l'être, et pourtant nous sommes dedans (oui : au cœur de l'être, au cœur du mystère!). Mais cela, c'est ce qu'on appelle l'immanence, quand Dieu est supposé transcendant. L'univers fait un mystère suffisant. Pourquoi faudrait-il en inventer un autre?

Le mystère n'appartient à personne. Il fait partie de la condition humaine. Il fait partie, peut-être bien, de l'être même (si l'être ne peut s'expliquer, comme je le crois, que par lui-même, ce qui le rend en vérité inexplicable). Bien loin d'être une objection contre l'athéisme, ce mystère intrinsèque et irréductible en ferait une plutôt contre la religion, ou du moins contre un certain type de religiosité. C'est ce qu'avait vu Hume, dans ses *Dialogues sur la religion naturelle* : « En quoi, vous autres mystiques, qui affirmez l'incompréhensibilité absolue de la Divinité, différez-vous des sceptiques et des athées, qui prétendent que la cause première de toutes choses est inconnue et inintelligible? » L'objection est plus forte qu'il n'y paraît. Si l'absolu est inconnaissable, qu'est-ce qui nous permet de penser qu'il est Dieu?

C'est la limite du fidéisme. Si la foi excède toute raison, comment savoir en quoi l'on croit ? « *Credo quia absurdum* », disent-ils parfois avec Tertullien ou saint Augustin, Pascal ou Kierkegaard, « Je crois parce que c'est absurde ». Grand bien leur fasse ! Mais pourquoi l'absurde serait-il Dieu ? Et comment ferait-il un argument ?

C'est la limite aussi du déisme, qui est une foi sans révélation, sans culte, sans dogmes. Être déiste, c'est croire en Dieu, sans avoir la prétention de le connaître. Foi humble. Foi minimale. Foi abstraite. Mais en quoi croit-elle ? « Je crois en Dieu, m'écrit une lectrice, mais pas en celui des religions, qui ne sont qu'humaines. Le vrai Dieu est inconnu... » Fort bien. Mais si nous ne le connaissons pas du tout, comment savoir qu'il est Dieu ?

C'est la limite enfin des théologies négatives ou apophatiques (du grec *apophasis*, « négation »). Dieu est inconcevable, sinon par analogie. Analogie avec quoi ? Avec celui qui croit. C'est ce qu'illustre la formule bien connue de Montesquieu, dans les *Lettres persanes* : « Si les triangles faisaient un Dieu, ils lui donneraient trois côtés. » Comment s'étonner que les Dieux de l'humanité soient anthropomorphes ? C'était vrai des dieux grecs ou latins. Ce ne l'est pas moins, quoique d'un autre point de vue, du Dieu des différents monothéismes. C'est qu'il est conçu par analogie avec ce que nous sommes ou connaissons : Dieu est à la nature ce que l'artiste ou l'artisan sont à leur œuvre (ce que l'architecte est à la maison, ce que l'horloger est à l'horloge, etc.) ; il est à l'humanité ce qu'un père est à ses enfants, ce qu'un souverain est à son peuple ; il est à l'Église ce que l'époux est à l'épouse... Dès lors, quoi qu'on puisse affirmer positivement de Dieu, ce sera marqué d'anthropomorphisme. Les religions du Livre ne s'en sont pas privées. Il ne suffit pas d'interdire les images de Dieu (dans le judaïsme ou l'islam) pour se libérer de l'imaginaire ! L'anthropomorphisme est plus essentiel : il touche au concept même de la divinité. C'est le prix à payer de l'analogie. Dire que Dieu est spirituel, personnel et créateur, c'est déjà de l'anthropomorphisme. Or cela fait partie de sa définition... Dire que Dieu est Père, c'est encore de l'anthropomorphisme. Or, ce sont les Évangiles qui le disent, et c'est l'Église : relisez le *Notre Père* et le *Credo*... Dire que Dieu est juste, qu'il est puissant et sage, comme font la Bible et le Coran, c'est toujours de l'anthropomorphisme. Dire qu'il est amour, qu'il est compatissant ou miséricordieux, de même... Mais alors que dire sur Dieu, hors de tout anthropomorphisme, sinon, très exactement, rien ? Cela nous renvoie à la première hypothèse du *Parménide* de Platon. Si l'Un existe, on ne peut rien en dire : « Il n'y a même pas de nom pour le désigner ; on ne peut ni le définir, ni le connaître, ni le sentir, ni le juger. » Mais on n'a plus aucune raison, alors, d'y voir un Dieu, ni aucun moyen de le penser. Tout anthropomorphisme, concernant l'absolu, est naïf ou dérisoire. Le silence, devant l'indicible, vaudrait mieux.

C'est ici qu'interviennent les théologies négatives. Elles n'entreprennent pas de dire ce qu'est Dieu, puisque c'est impossible, mais seulement ce qu'il n'est pas : il n'est pas un corps, il n'est pas dans l'espace, il n'est pas dans le temps, il n'est pas un monarque, il n'est pas un artiste, il n'est pas une créature, il n'est pas un vieillard à barbe blanche... Soit. Il n'est pas non plus un long tuyau d'arrosage (pour faire référence à une vieille plaisanterie juive), ni une assurance tous risques, ni un psychothérapeute bénévole et surdoué, ni un animal de compagnie, ni un mari, ni un amant (malgré le Cantique des cantiques), ni un super-gendarme, ni un ordinateur, ni un logiciel, ni une martingale... J'y consens très volontiers. Mais qu'est-ce que cela nous apprend, au bout du compte, sur ce qu'il est ? « Nous n'affirmons rien et ne nions rien, écrit celui qu'on appelle traditionnellement Denys l'Aréopagite, car la Cause unique et parfaite est au-delà de toute affirmation, et la transcendance au-delà de toute négation. » Cela nous voue au silence ou à l'extase. C'est bien commode pour les croyants. Comment réfuter un silence ? Comment discuter une extase ? Mais alors le concept même de Dieu devient vide ou inconcevable : le mot a bien un sens (un signifié, diraient les linguistes), mais nul ne peut penser adéquatement ce qu'il est censé désigner (son référent, s'il en a un). Cela ne prouve pas que Dieu n'existe pas (comment prouver l'inexistence de ce qu'on ne comprend pas ?), mais fragilise pourtant la position de ceux qui y croient. Si Dieu est inconcevable, rien ne nous autorise à penser qu'il est un Sujet ou une Personne, ni qu'il est Créateur, ni qu'il est Juste, ni qu'il est Amour, ni qu'il est Protecteur ou Bienfaiteur... C'est où le mysticisme, comme l'avait vu Hume, peut rejoindre l'athéisme. Si l'on ne peut rien dire de Dieu, on ne peut pas dire non plus qu'il existe, ni qu'il est Dieu. Tous les noms de Dieu sont humains ou anthropomorphes ; mais un Dieu sans nom n'en serait plus un. L'ineffable n'est pas un argument. Le silence ne fait pas une religion.

On m'objectera que l'athéisme ne peut pas davantage échapper à cette alternative de l'anthropomorphisme ou de l'indicible. « Si tout discours sur Dieu est anthropomorphique, me dit un jour un prêtre catholique, alors c'est aussi vrai de celui qui en nie l'existence que de celui qui l'affirme. » Pas tout à fait, me semble-t-il. Car croire en Dieu, c'est donner raison, au moins pour une part, à l'anthropomorphisme que la notion de Dieu véhicule inévitablement : c'est penser que l'absolu nous ressemble (qu'il est un Sujet, une Personne, un Esprit...), ou que nous lui ressemblons (que nous sommes faits « à son image »). Être athée, au contraire, c'est penser que si l'idée de Dieu nous ressemble, et pour cause (puisque c'est nous qui l'avons inventée), le réel ultime ou premier, lui, ne nous ressemble pas, qu'il n'a rien d'humain, ni de personnel, ni de spirituel. Cela change tout ! Le croyant et l'athée peuvent se servir du même concept de Dieu, ou plutôt ils le doivent, mais l'un donne raison, au moins partiellement, à l'anthropomorphisme que ce concept véhicule (oui, Dieu est vraiment Sujet ou Esprit, oui il nous a faits à son image...), quand l'autre lui donne tort (le fond du réel n'est ni un sujet ni un esprit : c'est la matière, c'est l'énergie, c'est la nature « sans sujet ni fin »...). Que religion et irréligion se servent du même concept et soient l'une et l'autre sans preuve, cela n'autorise pas à les confondre !

Bref, on ne peut, s'agissant de Dieu, échapper au dilemme du silence (Dieu inconcevable, ineffable, incompréhensible) ou de l'anthropomorphisme (un Dieu trop humain et trop compréhensible pour être Dieu). C'est évidemment une faiblesse pour la religion : le silence n'en dit pas assez (pourquoi l'indicible serait-il Dieu ?) ; l'anthropomorphisme en dit trop (pourquoi l'absolu serait-il humain ?).

EXCÈS DU MAL

J'en viens aux trois arguments positifs qui m'amènent non seulement à ne pas croire en Dieu (athéisme seulement négatif, très proche en cela de l'agnosticisme), mais à croire que Dieu n'existe pas (athéisme positif ou *stricto sensu*).

Le premier de ces arguments est le plus ancien, le plus banal, le plus fort : c'est l'existence du mal, ou plutôt son ampleur, son atrocité, sa démesure. Argument positif ? Oui, en ceci que le mal est un fait, qui ne se contente pas de marquer une faiblesse de la religion, comme les trois arguments précédents, mais qui donne une raison forte d'être athée. Argument tellement évident, tellement ressassé, depuis Épicure ou Lucrèce, qu'on hésite à y revenir. Pourtant il le faut, puisque le mal et les religions existent toujours.

Épicure, comme d'habitude, va droit à l'essentiel, qu'il résumait, selon un témoignage de Lactance, en quatre hypothèses. Aucune n'est satisfaisante (c'est ce que j'appellerais volontiers le *tetralemme* de la religion), et c'est en quoi l'hypothèse d'un Dieu créateur ne l'est pas non plus :

> « Ou bien Dieu veut éliminer le mal et ne le peut ; ou il le peut et ne le veut ; ou il ne le veut ni ne le peut ; ou il le veut et le peut. S'il le veut et ne le peut, il est impuissant, ce qui ne convient pas à Dieu ; s'il le peut et ne le veut, il est méchant, ce qui est étranger à Dieu. S'il ne le peut ni le veut, il est à la fois impuissant et méchant, il n'est donc pas Dieu. S'il le veut et le peut, ce qui convient seul à Dieu, d'où vient donc le mal, ou pourquoi Dieu ne le supprime-t-il pas ? »

La quatrième hypothèse, la seule qui soit conforme à notre idée de Dieu, est donc réfutée par le réel même (l'existence du mal). Il faut en conclure qu'aucun Dieu n'a créé le monde, ni ne le gouverne, soit parce qu'il n'y a pas de Dieu, soit parce que les dieux (telle était l'opinion d'Épicure) ne s'occupent pas de nous, ni de l'ordre ou du désordre du monde, qu'ils n'ont pas créé et qu'ils ne gouvernent en rien... Ni providence, donc, ni destin : il n'y a rien à espérer des dieux, ni rien à en craindre. D'ailleurs, ajoutera Lucrèce, la nature montre assez, par ses imperfections, « qu'elle n'a pas été créée pour nous par une divinité ». Le poète, sur ce thème-là, trouvera quelques-uns de ses plus beaux et plus tragiques accents : la vie est trop difficile, l'humanité trop faible, le travail trop harassant, les plaisirs trop vains ou trop rares, la douleur trop fréquente ou trop atroce, le hasard trop injuste ou trop aveugle pour qu'on puisse croire qu'un monde aussi imparfait soit d'origine divine !

C'est ce qu'on appelle traditionnellement le problème du mal. Mais ce n'est un problème que pour les croyants. Pour les athées, le mal est un fait, qu'il faut reconnaître, affronter, surmonter si l'on peut, mais qu'il n'est guère difficile de comprendre. Le monde n'est pas fait pour nous, ni par nous. Pourquoi correspondrait-il en tout à nos désirs, à nos besoins, à nos exigences ? « Le monde n'est pas une nursery », disait Freud. Et Alain : « Cette Terre ne nous a rien promis. » L'existence du mal, pour l'athée, va de soi. C'est moins un problème (théorique) qu'un obstacle (pratique) et une évidence. Mais pour les croyants ? Comment expliquer l'omniprésence du mal dans un monde créé par un Dieu tout-puissant et infiniment bon ? Voilà que l'évidence se fait objection ou mystère. Leibniz, dans sa *Théodicée*, l'a exprimé en deux phrases : « Si Dieu existe, d'où vient le mal ? S'il n'existe pas, d'où vient le bien ? » C'est partager trop commodément le fardeau. Les deux questions, malgré l'apparente symétrie, sont loin de peser le même poids. Qu'il y ait du bien dans le monde – du plaisir, de la compassion, de l'amour – la nature et l'histoire pourraient suffire à l'expliquer. Mais qu'il y ait du mal, et qu'il y en ait tant, et si atroce, et si injuste, comment le rendre compatible avec l'existence, la toute-puissance et l'infinie perfection de Dieu ?

Rentrons un peu dans les détails. Qu'il y ait du mal dans le monde, on pourrait, même du point de vue des croyants, le comprendre et l'accepter. C'est le prix à payer de la Création. Si le monde ne comportait aucun mal, il serait parfait ; mais s'il était parfait, il serait Dieu, et il n'y aurait pas de monde... C'est l'argument de Simone Weil, qui reprend le thème paulinien de l'*exinanition* ou *kénose*, voire, peut-être sans le savoir, le vieux thème mystique juif du *tsimtsum* : Dieu, par amour, s'est vidé de sa divinité, il s'est retiré, afin que dans ce retrait (la création), dans cette distance (l'espace), dans cette attente (le temps), dans ce vide de Dieu (l'univers), autre chose que Lui puisse exister. Créer, pour Dieu, ce n'est pas ajouter du bien à celui, infini, qu'Il est (comment Dieu pourrait-il faire mieux que Dieu, puisqu'il est tout le Bien possible ?) ; c'est consentir à n'être pas tout. La création du monde n'est donc pas une augmentation ou un progrès, comme le croient naïvement les humains, mais une soustraction, une diminution, comme une amputation, par Dieu, de soi. « La Création, écrit Simone Weil, est de la part de Dieu un acte non pas d'expansion de soi, mais de retrait, de renoncement. Dieu et toutes les créatures, cela est moins que Dieu seul. Dieu a accepté cette diminution. Il a vidé de soi une partie de l'être. Il s'est vidé déjà dans cet acte de sa divinité ; c'est pourquoi saint Jean dit que l'Agneau a été égorgé dès la constitution du monde. » Comment n'y aurait-il pas de mal dans le monde, puisque le monde n'est monde qu'à la condition de n'être pas Dieu ?

Soit. Cela peut expliquer qu'il y ait du mal dans le monde. Mais fallait-il qu'il y en ait autant ? C'est ce que je n'ai jamais pu – malgré toute l'admiration et la tendresse que j'ai pour Simone Weil – concevoir ou accepter.

L'expérience, ici, importe davantage que la métaphysique. Et la sensibilité, peut-être bien, davantage que l'expérience. Il reste que le mal, même pour les plus optimistes, voyez Leibniz, est incontestable. Le bien l'est aussi ? Sans doute. Mais la nature suffit à expliquer l'un et l'autre, alors qu'un Dieu les rendrait tous les deux incompréhensibles, le premier par l'excès, le second par l'insuffisance. Il y a trop d'horreurs dans ce monde, trop de souffrances, trop d'injustices – et trop peu de bonheur – pour que l'idée qu'il ait été créé par un Dieu tout-puissant et infiniment bon me paraisse acceptable.

Certes, ces souffrances et ces injustices, ce sont souvent des hommes qui en sont responsables. Mais qui a créé l'humanité ? Les croyants me répondront que Dieu nous a créés libres, ce qui suppose que nous puissions faire le mal... Cela nous renvoie à l'aporie déjà évoquée : sommes-nous alors plus libres que Dieu, qui n'est capable – perfection oblige – que du bien ? Et même en laissant cette difficulté de côté, pourquoi Dieu nous a-t-il créés si faibles, si lâches, si violents, si avides, si prétentieux, si lourds ? Pourquoi tant de salauds ou de médiocres, si peu de héros ou de saints ? Pourquoi tant d'égoïsme, d'envie, de haine, si peu de générosité et d'amour ? Banalité du mal, rareté du bien ! Il me semble qu'un Dieu aurait pu obtenir, même en nous laissant libres et imparfaits, une proportion plus favorable.

Enfin, et peut-être surtout, il y a toutes ces souffrances, depuis des millénaires, dont l'humanité n'est nullement responsable. Il y a tous ces enfants qui meurent de maladie, souvent dans d'atroces souffrances. Ces millions de femmes qui sont mortes en couches (qui meurent encore parfois), les chairs et l'âme déchirées. Il y a les mères de ces enfants, il y a les mères, lorsqu'elles sont encore vivantes, de ces femmes, incapables de les aider, de les soulager, ne pouvant qu'assister impuissantes à l'horreur... Qui oserait leur parler du péché originel ? Il y a ces cancers innombrables (qui ne sont pas tous dus à l'environnement ou au mode de vie). Il y a la peste, la lèpre, le paludisme, le choléra, la maladie d'Alzheimer, l'autisme, la schizophrénie, la mucoviscidose, la myopathie, la sclérose en plaques, la maladie de Charcot, la chorée de Huntington... Il y a les tremblements de terre, les raz-de-marée, les ouragans, les sécheresses, les inondations, les éruptions volcaniques... Il y a le malheur des justes et la souffrance des enfants. À quoi le péché originel ne donne qu'une explication dérisoire ou obscène. « Il faut que nous naissions coupables, écrit Pascal, ou Dieu serait injuste. » Il y a une autre possibilité, plus simple : c'est que Dieu n'existe pas.

Et puis il y a, bien avant l'apparition de l'homme, la souffrance animale. Des milliards d'animaux, dans des millions d'espèces, n'ont vécu qu'en en dévorant des milliards d'autres, dont l'unique tort était d'être trop faibles ou trop lents pour leur échapper. Je ne fais pas partie de la SPA. Mais tout de même ! Il suffit de voir nos reportages animaliers, à la télévision : ce ne sont que des tigres qui égorgent des gazelles, des poissons qui dévorent d'autres poissons, des oiseaux qui avalent des vers de terre, des insectes qui grignotent d'autres insectes... Je ne leur reproche rien : ils font leur métier de vivants. Mais comment faire entrer tant de souffrances, chez leurs proies, et pendant si long-temps, dans un plan prétendument divin ? Nos écologistes protestent, ils ont peut-être raison, contre le gavage des oies. Mais que dire alors de l'invention des carnivores ? La vie, telle que Dieu est supposé l'avoir créée, et bien avant l'apparition d'*homo sapiens*, est d'une violence et d'une injustice effrayantes. C'est comme un long carnage, qui n'en finirait pas. De ce point de vue, la première « vérité sainte » du Bouddha, qui enseigne que « toute vie est souf-france », *sarvam dukkham*, me paraît coller bien davantage à notre expérience, hélas, que l'enseignement des différents monothéismes ! La douleur est innombrable. Le malheur est innombrable. Qu'il y ait aussi des plaisirs et des joies, je ne l'ignore pas. Mais cela, la nature suffit à l'expliquer, quand Dieu rend l'horreur inexplicable.

Certains croyants, devant l'évidence et l'ampleur du mal, se battent aujourd'hui à fronts inversés, invoquant désor-mais non plus la toute-puissance de Dieu mais son impuis-sance ou sa faiblesse. C'est une variante de la *kénose* ou du *tsimtsum*, qu'on trouve par exemple dans *Le Concept de Dieu après Auschwitz*, de Hans Jonas. L'histoire est passée par là, dans son horreur renouvelée, dans sa démesure, dans son atrocité. La Shoah rend insupportable l'idée même d'un Dieu tout-puissant. Il faudrait donc renoncer à cette idée, et accepter désormais, au rebours de la tradition, la tragique faiblesse d'un Dieu en devenir et en souffrance, d'un Dieu qui « s'est dépouillé de sa divinité », comme dit Hans Jonas (très proche ici de Simone Weil, qu'il ne cite pas), d'un

Dieu désarmé, qui n'a pu créer le monde et l'homme qu'en renonçant à la toute-puissance... Pourquoi pas? Cela vaut mieux, face à l'horreur, que les justifications indécentes d'un Leibniz. L'horreur, toutefois, n'en demeure pas moins.

Ce thème du Dieu faible, qu'on trouvait déjà chez Dietrich Bonhoeffer, qu'on trouve aujourd'hui chez plusieurs théologiens chrétiens, peut chez eux s'autoriser de l'image même du Christ, en ses deux extrêmes, qui sont des extrêmes de faiblesse : la crèche et le calvaire, l'enfant nu, entre le bœuf et l'âne, et l'innocent crucifié, entre deux voleurs... Alain, qui fut le maître de Simone Weil, avait écrit sur ce thème de belles pages. « La puissance s'est retirée », disait-il lui aussi, dans *Les Dieux*. Et dans ses *Préliminaires à la mythologie*, ceci, que je n'ai jamais pu lire sans émotion :

> « Si l'on me parle encore du dieu tout-puissant, je réponds : c'est un dieu païen, c'est un dieu dépassé. Le nouveau dieu est faible, crucifié, humilié ; c'est son état ; c'est son essence. Ne rusez point là-dessus, pensez sur l'image. Ne dites point que l'esprit triomphera, qu'il aura puissance et victoire, gardes et prisons, enfin la couronne d'or. Non. Les images parlent trop haut ; on ne peut pas les falsifier. C'est la couronne d'épines qu'il aura. »

Mais ce dieu-là est d'autant plus faible, pour Alain, qu'il n'est pas Dieu – il n'est que l'esprit (« toujours humilié, bafoué, crucifié, toujours renaissant le troisième jour ») ; il n'est qu'en l'homme. Humanisme vrai : spiritualisme vrai, mais sans Église, sans dogmes, sans Dieu. J'ai plus de mal à concevoir ce *Dieu faible* dont on nous parle, qui aurait assez de puissance pour créer l'univers et l'homme, éventuellement pour nous faire ressusciter d'entre les morts, mais pas assez pour sauver un enfant ou son peuple.

D'autres, parmi les croyants, se réfugient dans l'incapacité où ils sont de résoudre le problème : le mal, disent-ils, est « un mystère ». Je n'en crois rien. J'y vois plutôt l'une des rares évidences que nous ayons (comme Pascal, avec sa lucidité habituelle, l'avait remarqué : « nous connaissons bien le mal et le faux », non le bien et le vrai). C'est leur Dieu qui est un mystère, ou qui rend le mal mystérieux. Et, de ce mystère-là, qui n'est qu'imaginaire, j'aime autant me passer. Mieux vaut reconnaître le mal pour ce qu'il est – dans sa banalité et sa démesure, dans son évidence atroce et inacceptable –, le voir en face, et le combattre, tant qu'on peut. Ce n'est plus religion mais morale ; plus foi, mais action.

Médiocrité de l'homme

Mon cinquième argument, pour justifier mon athéisme, porte moins sur le monde que sur les humains : plus je les connais, moins je peux croire en Dieu. Disons que je n'ai pas une assez haute idée de l'humanité en général, et de moi-même en particulier, pour imaginer qu'un Dieu soit à l'origine et de cette espèce et de cet individu. Trop de médiocrité partout. Trop de petitesse. Trop de *dénéantise*, comme dit Montaigne. Trop de vanité, comme il dit encore (« De toutes les vanités, la plus vaine c'est l'homme »). C'était bien la peine d'être tout-puissant ! Vous me direz que Dieu a peut-être fait mieux ailleurs... Admettons. Mais est-ce une raison pour se contenter de si peu ici ? Que diriez-vous d'un artiste, sous prétexte qu'il aurait réussi pour d'autres quelques chefs-d'œuvre, qui prétendrait vous fourguer ses déchets ? Que l'exemple n'est pas rare chez nos artistes, peut-être, mais guère acceptable d'un Être supposé tout-puissant et infiniment bon... Bref, l'idée que Dieu ait pu consentir à créer une telle médiocrité – l'être humain – me paraît, une nouvelle fois, d'une plausibilité très faible.

« Dieu créa l'homme à son image », lit-on dans la Genèse. Cela ferait douter de l'original. Que l'homme descende du singe me paraît bien davantage concevable, bien davantage suggestif, bien davantage *ressemblant*. Darwin, maître de miséricorde.

Faut-il pour autant donner raison aux misanthropes ? Surtout pas ! L'homme n'est pas foncièrement méchant. Il est foncièrement médiocre, mais ce n'est pas sa faute. Il fait ce qu'il peut avec ce qu'il a ou ce qu'il est, et il n'est pas grand-chose, et il ne peut guère. C'est ce qui doit nous rendre indulgents à son égard, admiratifs même parfois. Le matérialisme, disait La Mettrie, est l'antidote de la misan-thropie : c'est parce que les hommes sont des animaux qu'il est vain de les haïr, et même de les mépriser. Comme copies de Dieu, nous serions dérisoires ou inquiétants. Comme animaux produits par la nature, nous ne sommes pas sans qualités, ni sans mérites. Nous partions de si bas ! Qui aurait pu deviner, il y a cent mille ans, que ces espèces de grands singes iraient sur la Lune, qu'ils engendreraient Michel-Ange et Mozart, Shakespeare et Einstein, qu'ils inventeraient les droits de l'homme et même les droits des animaux ? Nous nous battons, par exemple, pour protéger les baleines ou les éléphants. Nous avons raison. Mais imaginez que l'humanité devienne, cela arrivera peut-être, une espèce en voie de disparition : baleines et éléphants ne lèveraient pas le plus petit bout de nageoire ou de trompe pour nous sauver. L'écologie est le propre de l'homme (oui, malgré la pollution, ou plutôt à cause d'elle), et les droits des animaux, même, n'existent que pour les humains. Cela en dit long sur cette espèce-là.

Religion de l'homme ? Certes pas. Quel piètre dieu cela ferait ! L'humanisme n'est pas une religion, c'est une morale (laquelle inclut aussi nos devoirs vis-à-vis des autres espèces animales). L'homme n'est pas notre Dieu ; il est notre prochain. L'humanité, pas notre Église, mais notre exigence. Il s'agit, répétons-le avec Montaigne, de « faire bien l'homme », et l'on n'en a jamais fini. Humanisme sans illusions, et de sauvegarde. Il faut pardonner aux hommes – et à soi – de n'être que ce qu'ils sont. Ni anges ni bêtes, comme dit Montaigne avant Pascal, ni esclaves ni surhommes : « Ils veulent se mettre hors d'eux et échapper à l'homme. C'est folie : au lieu de se transformer en anges, ils se transforment en bêtes ; au lieu de se hausser, ils s'abattent. Ces humeurs transcendantes m'effraient, comme les lieux hautains et inaccessibles. » La lucidité suffit, et vaut mieux.

Finitude de l'homme : exception de l'homme. Le même *homo sapiens*, qui ne ferait qu'une imitation grotesque de Dieu, est le plus extraordinaire, de très loin, de tous les animaux : il a un cerveau étonnamment complexe et performant ; il est capable d'amour, de révolte, de création ; il a inventé les sciences et les arts, la morale et le droit, la religion et l'irréligion, la philosophie et l'humour, la gastronomie et l'érotisme... Ce n'est pas rien ! Ce qu'il a fait de mieux, aucune bête ne l'aurait fait. Ce qu'il a fait de pire, non plus. C'est dire assez sa singularité. De là à l'imaginer créé par un Dieu... Quoi ? Toute cette mesquinerie, tout ce narcissisme, tout cet égoïsme, toutes ces petites rivalités, ces petites haines, ces petites rancœurs, ces petites envies, ces petits divertissements, ces petites satisfactions de confort ou d'amour-propre, ces petites lâchetés, ces petites ou grandes ignominies, il faudrait un Dieu pour en rendre raison ? Le pauvre ! Comme il doit s'ennuyer, s'il existe, lorsqu'il n'a pas honte ! Regardez nos grandes chaînes de télévision, ne serait-ce qu'une journée entière, et puis – devant tant de bêtise, de violence, de vulgarité – demandez-vous simplement : Comment un Être tout-puissant et omniscient aurait-il pu vouloir *cela* ? Vous me direz que ce n'est pas Dieu qui fait les programmes. J'entends bien. Mais c'est lui qui est censé avoir créé l'humanité, laquelle fait l'audimat et les programmes... Comment, devant une telle médiocrité des créatures, croire encore à l'infinie perfection d'un Créateur ?

Je force le trait ? Point trop, me semble-t-il. Je simplifie, il le faut bien, je vais au plus court, disons que je n'envisage, pour faire vite, qu'un côté de la question. Je sais bien qu'il existe aussi (et même, parfois, à la télévision) des chefs-d'œuvre, des génies, des héros, enfin, parmi quelques salauds véritables, une grosse majorité de braves gens. Mais ces deux côtés de l'humanité, ombre et lumière, grandeur et misère, n'ont pas, s'agissant de notre débat, la même pertinence, ni la même force. La misère de l'homme, comme dit Pascal, me paraît beaucoup plus incompatible avec son origine divine que sa grandeur avec son origine naturelle ! Que nous soyons capables d'amour et de courage, d'intelligence et de compassion, la sélection naturelle peut suffire à l'expliquer : ce sont autant d'avantages sélectifs, qui rendent la transmission de nos gènes plus probable. Mais que nous soyons à ce point capables de haine, de violence et de mesquinerie, cela (que le darwinisme explique sans difficulté) me paraît excéder les ressources de toute théologie. Inutile de préciser que je ne fais pas exception. Plus je me connais moi-même, moins je peux croire en notre origine divine. Et plus je connais les autres, moins cela s'arrange... Croire en Dieu, ai-je écrit quelque part, c'est péché d'orgueil. Ce serait se donner une bien grande cause, pour un si petit effet. L'athéisme, à l'inverse, est une forme d'humilité. Nous sommes fils de la terre (*humus*, d'où vient « humilité »), et cela se sent... Autant l'assumer, et inventer le ciel qui va avec.

LE DÉSIR ET L'ILLUSION

Le sixième et dernier argument, qui m'amène à trancher en faveur de l'athéisme, est peut-être le plus subjectif. Mais si nous n'étions pas des sujets, la question ne se poserait pas.

De quoi s'agit-il? De nous-mêmes – de notre désir de Dieu. J'y vois une raison, à mes yeux particulièrement convaincante, de n'y pas croire : si je suis athée, c'est aussi parce que je préférerais que Dieu existe! C'est moins paradoxal qu'il n'y paraît. Être athée, ce n'est pas forcément être contre Dieu. Pourquoi serait-on contre ce qui n'existe pas? Mais il y a plus : pour ma part, il faut bien que je l'avoue, Dieu, je serais plutôt pour... C'est pourquoi toute religion m'est suspecte.

« La philosophie ne s'en cache pas, écrivait le très jeune Marx de 1841 (celui de la *Dissertation* sur Démocrite et Épicure), elle fait sienne la profession de foi de Prométhée : "*Je hais tous les dieux.*" » Naïveté de jeune homme. Ce n'est pas la philosophie qui déteste les dieux, ni même tous les philosophes (les plus grands, y compris chez les athées, en parlent avec respect). Et s'agissant en particulier du Dieu des chrétiens, le seul que j'aie un peu fréquenté, au moins en imagination, je ne vois pas pourquoi je devrais le haïr. C'est plutôt le contraire : quoi de plus aimable, par définition, qu'un Dieu d'amour? Qui n'en rêverait? Ce n'est pas une raison, toutefois, pour y croire. Car que prouve un rêve? Que nous soyons pour la justice, cela ne prouve pas qu'elle existe. C'est plutôt Alain, ici, qui a raison : « La justice n'existe pas ; c'est pourquoi il faut la faire. » Oui, pour autant que nous le pouvons, et nous le pouvons quand même un peu. Il suffit de le vouloir. Il suffit d'être pour, en effet, si c'est autre chose qu'une pose ou qu'un discours. Mais *faire Dieu*, qui le pourrait ? À l'impossible, nul n'est tenu : Dieu est cet impossible, qui nous tient peut-être, s'il existe, mais auquel nous ne saurions être tenus, s'il n'existe pas.

Dieu, ou le rêve absolu, ou l'absolu rêvé : un infini d'amour, de justice, de vérité... Je suis pour, comme la plupart des gens, je veux dire que je préférerais qu'il existe ; mais ce n'est pas une raison suffisante pour y croire, et même c'en est une, bien forte, pour s'y refuser. Certains s'en étonnent : « Si vous préférez que Dieu existe, me disent-ils, alors il faut y croire ! » Mais non, au contraire ! C'est justement parce que je préférerais que Dieu existe que j'ai de fortes raisons de douter de son existence. Je préférerais aussi qu'il n'y ait plus jamais de guerre, ni de pauvreté, ni d'injustice, ni de haine. Mais si quelqu'un me l'annonce pour demain, je le tiens pour un rêveur, qui prend ses désirs pour la réalité – ou pour un terroriste, s'il prétend m'imposer son rêve.

Pourquoi préférerais-je que Dieu existe ? Parce qu'il correspond à mes désirs les plus forts. Cela suffirait, si j'étais porté à croire, à m'en dissuader : une croyance qui correspond à ce point à nos désirs, il y a lieu de craindre qu'elle n'ait été inventée pour les satisfaire (au moins fantasmatiquement). Car enfin reconnaissons que la réalité n'a guère coutume, c'est le moins que l'on puisse dire, de combler à ce point nos espérances.

Que désirons-nous plus que tout? Si on laisse de côté les désirs vulgaires ou bas, qui n'ont pas besoin d'un Dieu pour être satisfaits, ce que nous désirons plus que tout, c'est d'abord de ne pas mourir, ou pas complètement, ou pas définitivement; c'est ensuite de retrouver les êtres chers que nous avons perdus; c'est que la justice et la paix finissent par triompher; enfin, et peut-être surtout, c'est d'être aimés.

Or, que nous dit la religion, spécialement chrétienne? Que nous ne mourons pas, ou pas vraiment, ou que nous allons ressusciter; que nous retrouverons en conséquence les êtres chers que nous avons perdus; que la justice et la paix l'emporteront au bout du compte; enfin que nous sommes d'ores et déjà aimés d'un amour infini... Que demander de plus? Rien, bien sûr! C'est justement ce qui rend la religion suspecte : c'est trop beau, comme on dit, pour être vrai! C'est l'argument de Freud, dans *L'Avenir d'une illusion* : «Il serait certes très beau qu'il y eût un Dieu créateur du monde et une Providence pleine de bonté, un ordre moral de l'univers et une vie après la mort, mais il est cependant très curieux que tout cela soit exactement ce que nous pourrions nous souhaiter à nous-même.» C'était déjà l'argument de Nietzsche, dans *L'Antéchrist* : «La foi sauve, donc elle ment.» Dieu est trop désirable pour être vrai; la religion, trop réconfortante pour être crédible.

Ce que Freud ou Nietzsche opèrent ici, ou ce que j'essaie d'opérer avec eux, c'est comme un renversement, quoique d'un autre point de vue, de la preuve ontologique : c'est justement parce que Dieu est défini comme « souverainement parfait » (« un être tel, dirais-je à la façon d'Anselme, qu'on ne puisse rien désirer de meilleur ») qu'il convient de n'y pas croire.

Cela fait aussi comme un « pari de Pascal » inversé. On sait que Pascal, plus lucide en cela que Descartes ou Leibniz, est convaincu qu'il n'y a pas de preuve de l'existence de Dieu, qu'il ne peut y en avoir, et d'ailleurs que s'il y en avait une ce n'est pas Dieu qu'elle prouverait (on ne peut prouver qu'une vérité, mais « la vérité hors de la charité n'est pas Dieu » : un Dieu qu'on pourrait prouver serait le Dieu « des philosophes et des savants », non celui de Jésus-Christ). En revanche, si l'on ne peut *prouver* Dieu, on peut, et on doit, *parier* qu'il existe. Pourquoi ? En vertu du calcul des probabilités ou de la théorie des jeux, que Pascal a contribué, avec Fermat, à inventer. Nous avons tout à gagner dans la religion, explique un fameux fragment des *Pensées*, et rien à perdre. La chose, mathématiquement, se calcule à peu près. Quand un pari est-il acceptable ? Lorsque le rapport entre la mise et le gain possible est proportionné à la probabilité de ce dernier : par exemple si l'on joue à pile ou face, la probabilité de gain étant d'une chance sur deux, il faut que le gain espéré soit au moins double de la mise pour que le jeu soit acceptable. S'il est inférieur, il faut refuser le pari ; s'il est supérieur, on a tout intérêt, au contraire, à l'accepter. Or, s'agissant de Dieu, ou plutôt de notre croyance en lui, le gain possible (« une infinité de vie infiniment heureuse », écrit Pascal) dépasse infiniment la mise (notre vie terrestre, mortelle, misérable). Dès lors qu'il y a une probabilité non nulle de gagner, une probabilité non infinie de perdre (l'existence de Dieu est possible) et un écart infini entre la mise et le gain, il n'y a pas à hésiter : il faut évidemment parier que Dieu existe. C'est ce que résume la formule célèbre : « Si vous gagnez, vous gagnez tout ; si vous perdez, vous ne perdez rien. »

L'argument, même à le supposer mathématiquement sans défaut, me semble théologiquement douteux. Pourquoi la grâce se soumettrait-elle au calcul des probabilités ? Comment mon salut dépendrait-il d'un pari ? Dieu n'est pas un croupier. Rien ne l'empêche de me damner, y compris si j'ai opté pour son existence, ni de me sauver, même si j'ai parié qu'il n'existait pas. Mais laissons cette objection théologique de côté. C'est surtout d'un point de vue philosophique que le pari de Pascal me paraît inacceptable. La pensée n'est pas un jeu de hasard. La conscience, pas un casino. Pourquoi devrions-nous soumettre notre raison à notre intérêt ? Notre esprit, à un calcul des risques et des gains ? Notre philosophie, à une martingale ? Ce serait indigne de nous, de la raison et de Pascal (son pari ne s'adresse pas à lui-même, qui n'attend la foi que de Dieu, mais aux libertins, qui ne veulent croire qu'à leur propre plaisir). C'est où l'hédonisme et l'utilitarisme atteignent leurs limites. Je ne suis pas un joueur ; je suis un esprit. Ce n'est pas mon intérêt que je cherche d'abord ; c'est la vérité, et rien ne garantit que les deux aillent ensemble. C'est même improbable, tant mon intérêt est particulier, tant la vérité est universelle. Si bien que l'intérêt même où je suis de croire en Dieu (comme le montre le pari de Pascal) doit me rendre vigilant – dès lors que je n'ai, de l'existence d'un tel Dieu, aucune preuve ni aucune expérience – contre la tentation d'y croire en effet, voire fait une raison forte de n'y pas croire. Pourquoi le réel, qui n'est pas coutumier du fait, me sourirait-il à ce point?

Toute religion est optimiste (même le manichéisme annonçait le triomphe ultime du Bien); cela en dit long sur la religion.

« Évangile », en grec, signifie « bonne nouvelle »; cela en dit long sur le christianisme. C'est l'esprit des Béatitudes. Pas étonnant que cela nous tente ou nous séduise! Le Royaume pour les pauvres, la consolation pour les affligés? Le triomphe définitif de la vie sur la mort, de la paix sur la guerre? Une éternité, en tout cas pour les justes, de bonheur infini? On ne peut rêver mieux, et c'est ce qui rend la chose improbable. Une croyance que rien n'atteste et qui correspond à ce point à nos désirs les plus forts, comment ne pas suspecter qu'elle soit l'expression de ces désirs, qu'elle en soit dérivée, comme dit Freud, autrement dit qu'elle ait la structure d'une illusion?

Qu'est-ce qu'une illusion? Ce n'est pas la même chose qu'une erreur, explique Freud, et d'ailleurs une illusion n'est pas nécessairement fausse. Une illusion, c'est « une croyance dérivée des désirs humains » – une croyance désirante ou un désir crédule. Cela rejoint le sens ordinaire du mot : se faire des illusions, c'est prendre ses désirs pour la réalité. Par exemple la jeune fille pauvre, persuadée qu'elle va épouser un prince ou un milliardaire. Cela, quoique très improbable, note Freud, n'est pas tout à fait impossible. Il se peut donc que notre jeune fille ait raison. Elle n'en est pas moins dans l'illusion, dès lors que sa croyance, qu'aucun savoir ne fonde, ne s'appuie que sur le désir très fort, en elle, qu'il en soit ainsi. L'illusion n'est donc pas un certain type d'erreur ; c'est un certain type de croyance : c'est croire que quelque chose est vrai parce qu'on le désire fortement. Rien, humainement, de plus compréhensible. Ni, philosophiquement, de plus discutable.

Ce sixième argument fait, avec le troisième (« l'explication incompréhensible ») une espèce de chiasme, qui les renforce tous deux : Dieu est trop incompréhensible, d'un point de vue métaphysique, pour n'être pas douteux (ce qu'on ne comprend pas, comment savoir si c'est un Dieu ou une chimère ?) ; la religion est trop compréhensible, d'un point de vue anthropologique, pour n'être pas suspecte.

Imaginez que je veuille acheter un appartement aux USA, par exemple dans les beaux quartiers de New York, disons à Manhattan, avec vue imprenable sur Central Park... Je veux au moins six pièces, deux salles de bain, une terrasse ensoleillée, le tout en bon état et pour un prix de vente qui ne dépasse pas 100 000 dollars... « Je n'ai pas encore trouvé, pourrais-je vous dire, mais je continue à chercher : j'ai confiance, j'y crois ! » Vous vous diriez que je me fais des illusions, et vous auriez bien sûr raison. Cela ne prouve pas absolument que j'aie tort (je peux tomber sur un vendeur fou, ou sur un mécène qui voudrait me faire un cadeau), mais cela fragilise considérablement ma position : vous êtes tous convaincus, en vérité, que je ne peux pas trouver une telle aubaine. Et si je vous dis qu'il existe un Dieu immortel, omniscient, tout-puissant, parfaitement bon et juste, tout d'amour et de miséricorde, cela vous semble davantage croyable qu'un beau six pièces au cœur de New York, pour moins de 100 000 dollars ? C'est que vous avez une bien petite idée de Dieu, ou une bien grande de l'immobilier.

« Nous sommes disposés par nature à croire facilement ce que nous espérons, et difficilement au contraire ce dont nous avons peur », écrivait Spinoza dans l'*Éthique*. Et il ajoutait : « De là sont nées les superstitions, par lesquelles les hommes sont partout dominés. » Raison de plus pour nous méfier de nos croyances, lorsqu'elles vont dans le sens de ce que nous espérons ! Qui n'espère le triomphe ultime de la justice et de la paix ? Qui ne désire être aimé ? Qui ne souhaiterait la victoire définitive de la vie sur la mort ? Si cela ne dépendait que de moi, croyez bien que Dieu existerait depuis belle lurette ! Mais comme cela, d'évidence, ne dépend pas de moi, force m'est de constater que le désir même que nous avons de Dieu – désir d'un « Père transfiguré », comme dit Freud, pour les petits enfants que nous sommes tous, désir de protection et d'amour – est l'un des arguments les plus forts contre la croyance en son existence.

Le droit de ne pas croire

Un mot, pour résumer et pour conclure ce chapitre. Six arguments principaux m'amènent à ne pas croire en Dieu (pour les trois premiers), et même à croire qu'il n'existe pas (pour les trois suivants) : la faiblesse des arguments opposés (les prétendues «preuves» de l'existence de Dieu) ; l'expérience commune (si Dieu existait, cela devrait se voir ou se sentir davantage) ; mon refus d'expliquer ce que je ne comprends pas par quelque chose que je comprends encore moins ; la démesure du mal ; la médiocrité de l'homme ; enfin le fait que Dieu corresponde tellement bien à nos désirs qu'il y a tout lieu de penser qu'il a été inventé pour les satisfaire, au moins fantasmatiquement (ce qui fait de la religion une illusion, au sens freudien du terme). Qu'aucun de ces arguments, ni leur somme, ne vaille comme preuve, je l'annonçais dès le départ et j'en reste persuadé. Dieu existe-t-il ? Nous ne le savons pas. Nous ne le saurons jamais, en tout cas dans cette vie. C'est pourquoi la question se pose d'y croire ou non. Le lecteur sait maintenant pourquoi, pour ma part, je n'y crois pas : d'abord parce qu'aucun argument ne prouve son existence ; ensuite parce qu'aucune expérience ne l'atteste ; enfin parce que je veux rester fidèle au mystère, face à l'être, à l'horreur et à la compassion, face au mal, à la miséricorde ou à l'humour, face à la médiocrité (si Dieu nous avait créés à son image et absolument libres, nous serions impardonnables), enfin à la lucidité, face à nos désirs et à nos illusions. Ce sont mes raisons, du moins celles qui me touchent ou me convainquent le plus. Il va de soi que je ne prétends les imposer à quiconque. Il me suffit de revendiquer le droit de les énoncer publiquement, et de les soumettre, comme il convient, à la discussion.

Qu'est-ce que le fanatisme ? C'est prendre sa foi pour un savoir, ou vouloir l'imposer par la force (les deux, presque toujours, vont de pair : dogmatisme et terrorisme se nourrissent l'un l'autre). Double faute : contre l'intelligence, et contre la liberté. À quoi il faut donc résister doublement : par la démocratie, par la lucidité. La liberté de conscience fait partie des droits de l'homme et des exigences de l'esprit.

La religion est un droit. L'irréligion aussi. Il faut donc les protéger l'une et l'autre (voire l'une contre l'autre, si c'est nécessaire), en leur interdisant à toutes deux de s'imposer par la force. C'est ce qu'on appelle la laïcité, et le plus précieux héritage des Lumières. On en redécouvre aujourd'hui la fragilité. Raison de plus pour le défendre, contre tout intégrisme, et pour le transmettre à nos enfants.

La liberté de l'esprit est le seul bien, peut-être, qui soit plus précieux que la paix. C'est que la paix, sans elle, n'est que servitude.

III

Quelle spiritualité pour les athées?

Terminons par le plus important, qui n'est pas Dieu, du moins à mes yeux, ni la religion, ni l'athéisme, mais la vie spirituelle. Certains s'en étonneront : « Vous, un athée, vous vous intéressez à la vie spirituelle ! » Et alors ? Que je ne croie pas en Dieu, cela ne m'empêche pas d'avoir un esprit, ni ne me dispense de m'en servir.

On peut se passer de religion, ai-je montré dans mon premier chapitre, mais pas de communion, ni de fidélité, ni d'amour. On ne peut pas davantage se passer de spiritualité. Pourquoi le faudrait-il ? Ce n'est pas parce que je suis athée que je vais me châtrer de l'âme ! L'esprit est une chose trop importante pour qu'on l'abandonne aux prêtres, aux mollahs ou aux spiritualistes. C'est la plus haute partie de l'homme, ou plutôt sa plus haute fonction, qui fait de nous autre chose que des bêtes, plus et mieux que les animaux que nous sommes aussi. « L'homme est un animal métaphysique », disait Schopenhauer, donc aussi, ajouterai-je, spirituel. C'est notre façon d'habiter l'univers ou l'absolu, qui nous habitent. Que pouvons-nous vivre de meilleur, de plus intéressant, de plus élevé ? Ne pas croire en Dieu, ce n'est pas une raison pour s'amputer d'une partie de son humanité – et surtout pas de celle-là ! Ne pas avoir de religion, ce n'est pas une raison pour renoncer à toute vie spirituelle.

Une spiritualité sans Dieu ?

Qu'est-ce que la spiritualité ? C'est la vie de l'esprit. Mais qu'est-ce qu'un esprit ? « Une chose qui pense », répondait Descartes, « c'est-à-dire une chose qui doute, qui conçoit, qui affirme, qui nie, qui veut, qui ne veut pas, qui imagine aussi, et qui sent. » J'ajouterai : qui aime, qui n'aime pas, qui contemple, qui se souvient, qui se moque ou plaisante... Peu importe que cette « chose » soit le cerveau, comme je le crois, ou une substance immatérielle, comme le croyait Descartes. Nous n'en pensons pas moins. Nous n'en voulons pas moins. Nous n'en imaginons pas moins. Qu'est-ce que l'esprit ? C'est la puissance de penser, en tant qu'elle a accès au vrai, à l'universel ou au rire. Il est probable que cette *puissance*, sans le cerveau, ne pourrait rien, voire n'existerait pas. Mais le cerveau, sans cette puissance-là, ne serait qu'un organe comme un autre.

L'esprit n'est pas une substance ; c'est une fonction, c'est une puissance, c'est un acte (l'acte de penser, de vouloir, d'imaginer, de faire de l'humour...), et cet acte au moins est incontestable – puisque toute contestation le suppose. « L'esprit n'est pas une hypothèse », disait Alain. C'est qu'il n'y a d'hypothèses que pour et par un esprit.

Mais laissons la métaphysique. S'agissant de spiritualité, c'est plutôt l'extension du mot « esprit » qui pose problème. À le prendre dans une acception si large, la spiritualité engloberait le tout, ou peu s'en faut, d'une vie humaine : « spirituel » serait synonyme à peu près de « mental » ou de « psychique ». Cette acception, dans le registre qui nous occupe, n'est plus guère d'usage. Lorsqu'on parle de *spiritualité*, aujourd'hui, c'est le plus souvent pour désigner une partie somme toute restreinte – quoique peut-être ouverte sur l'illimité – de notre vie intérieure : celle qui a rapport avec l'absolu, l'infini ou l'éternité. C'est comme la pointe extrême de l'esprit, qui serait aussi son amplitude la plus grande.

Nous sommes des êtres finis ouverts sur l'infini, disais-je dans mon deuxième chapitre. Je peux ajouter : des êtres éphémères, ouverts sur l'éternité ; des êtres relatifs, ouverts sur l'absolu. Cette ouverture, c'est l'esprit même. La métaphysique consiste à la penser ; la spiritualité, à l'expérimenter, à l'exercer, à la vivre.

C'est ce qui distingue la *spiritualité* de la *religion*, qui n'est qu'une de ses formes. On ne peut les confondre que par métonymie ou abus de langage. C'est comme le tout et la partie, le genre et l'espèce. Toute religion relève, au moins pour une part, de la spiritualité ; mais toute spiritualité n'est pas forcément religieuse. Que vous croyiez ou non en Dieu, au surnaturel ou au sacré, vous n'en serez pas moins confronté à l'infini, à l'éternité, à l'absolu – et à vous-même. La nature y suffit. La vérité y suffit. Notre propre finitude transitoire et relative y suffit. Nous ne pourrions autrement nous penser comme relatifs, ni comme éphémères, ni comme finis.

Être athée, ce n'est pas nier l'existence de l'absolu ; c'est nier sa transcendance, sa spiritualité, sa personnalité – c'est nier que l'absolu soit Dieu. Mais n'être pas Dieu, ce n'est pas n'être rien ! Sinon, que serions-nous, et que serait le monde ? Si l'on entend par « absolu », c'est le sens ordinaire du mot, ce qui existe indépendamment de toute condition, de toute relation ou de tout point de vue – par exemple l'ensemble de toutes les conditions (la nature), de toutes les relations (l'univers), qui englobe aussi tous les points de vue possibles ou réels (la vérité) – on ne voit guère comment on pourrait en nier l'existence : l'ensemble de toutes les conditions est nécessairement inconditionné, l'ensemble de toutes les relations est nécessairement absolu, l'ensemble de tous les points de vue n'en est pas un.

C'est ce qu'on peut appeler le naturalisme, l'immanentisme ou le matérialisme. Ces trois positions métaphysiques, sans être toujours identiques, convergent, concernant le sujet qui nous occupe et au moins négativement, sur l'essentiel : elles récusent tout surnaturel, toute transcendance, tout esprit immatériel (donc aussi tout Dieu créateur). Je les fais miennes toutes trois. La nature est pour moi le tout du réel (le surnaturel n'existe pas), et elle existe indépendamment de l'esprit (qu'elle produit, qui ne la produit pas). Il en découle que tout est immanent au Tout (si l'on désigne ainsi, avec une majuscule qui est de convention plutôt que de déférence, l'ensemble de tout ce qui existe ou arrive :

le *to pan* d'Épicure, la *summa summarum* de Lucrèce, la *Nature* de Spinoza), et qu'il n'y a rien d'autre. Que ce Tout soit unique, cela fait partie de sa définition (s'il y en avait plusieurs, le Tout serait leur somme). Il est sans créateur (tout créateur faisant partie du Tout, il ne saurait créer le Tout lui-même), sans extérieur, sans exception, sans finalité. C'est ce qu'on peut appeler le réel – l'ensemble des êtres et des événements –, à condition d'y inclure la puissance d'exister et d'agir qui les rend possibles (l'ensemble des causes, point seulement des effets). *Phusis*, disaient les Grecs, plutôt que *Cosmos*. Nature plutôt que monde. Devenir plutôt qu'ordre. C'est la nature de Lucrèce, plus encore que de Spinoza : libre, certes, mais parce que rien d'extérieur ne la gouverne (non parce qu'elle se gouvernerait consciemment elle-même), à la fois incréée et créatrice, hasardeuse autant que nécessaire, sans pensée, sans conscience, sans volonté – sans sujet ni fin. Tout ordre la suppose ; aucun ne la contient ni ne l'explique. *Natura, sive omnia* : la nature, c'est-à-dire tout.

Cela, loin d'exclure la spiritualité, la met à sa place – qui n'est pas la première, certes, dans le monde, mais la plus haute, au moins d'un certain point de vue, en l'homme.

Que la nature existe avant l'esprit qui la pense, j'en suis convaincu. C'est où le naturalisme, pour moi, mène au matérialisme. Mais l'esprit n'en existe pas moins, ou plutôt cela seul lui permet d'exister. Être matérialiste, au sens philosophique du terme, c'est nier l'indépendance ontologique de l'esprit. Ce n'est pas nier son existence (car alors le matérialisme même deviendrait impensable). L'esprit n'est pas la cause de la nature. Il est son résultat le plus intéressant, le plus spectaculaire, le plus prometteur – puisqu'il n'y a d'intérêt, de spectacle et de promesse que pour lui. La spiritualité en découle, qui n'est pas autre chose que la vie, comme on lit dans les Écritures, «en esprit et en vérité». Quelle aventure plus décisive, plus précieuse, plus exigeante? Que tout esprit soit corporel, ce n'est pas une raison pour cesser de s'en servir, ni pour le vouer exclusivement aux tâches subalternes! Un cerveau, cela ne sert pas seulement à lire une carte routière ou à passer une commande sur Internet.

Le mot «absolu» vous gêne? Je vous comprends : je l'ai évité moi-même bien longtemps. Rien, d'ailleurs, ne vous interdit d'en préférer un autre. «L'être»? «La nature»? «Le devenir»? Avec ou sans majuscule? Chacun est maître de son vocabulaire, et je n'en connais pas qui soit sans défauts. Il reste que le Tout, par définition, est sans autre. De quoi pourrait-il dépendre? À quoi pourrait-il être relatif? D'où pourrait-il être vu? C'est ce qu'on appelle traditionnellement l'absolu ou l'inconditionné : ce qui ne dépend de rien d'autre que de soi, ce qui existe indépendamment de toute relation, de toute condition, de tout point de vue. Que nous n'y ayons pas accès, sinon relativement, n'empêche pas qu'il nous contienne. Que tout, dans le Tout, soit relatif et conditionné, comme je le crois, n'implique pas que le Tout lui-même le soit – et même, s'il est vraiment le Tout, cela l'exclut. L'ensemble de toutes les relations, de toutes les conditions et de tous les points de vue est nécessairement absolu, inconditionné et invisible. Comment n'existerait-il pas, puisque rien, sans lui, ne pourrait exister ? C'est ce que j'appelle, par boutade, la preuve *panontologique* : le tout de ce qui existe existe nécessairement.

Parler d'une spiritualité sans Dieu n'est dès lors nullement contradictoire. En Occident, cela surprend parfois. Comme la seule spiritualité socialement observable, dans nos pays, fut pendant des siècles une religion (le christianisme), on a fini par croire que « religion » et « spiritualité » étaient synonymes. Il n'en est rien ! Il suffit de prendre un peu de recul, aussi bien dans le temps (spécialement du côté des sagesses grecques) que dans l'espace (par exemple du côté de l'Orient bouddhiste ou taoïste), pour découvrir qu'il a existé, et qu'il existe encore, d'immenses spiritualités qui n'étaient ou ne sont en rien des religions, en tout cas au sens occidental du terme (comme croyance en un ou plusieurs dieux), ni peut-être même en son sens le plus général (comme croyance au sacré ou au surnaturel). Si tout est immanent, l'esprit l'est aussi. Si tout est naturel, la spiritualité l'est aussi. Cela, loin d'interdire la vie spirituelle, la rend possible. Nous sommes au monde, et du monde : l'esprit fait partie de la nature.

Mystique et mystère

Quelle spiritualité pour les athées ? Repensant aux trois vertus théologales de la tradition chrétienne, je répondrais volontiers : une spiritualité de la fidélité plutôt que de la foi, de l'action plutôt que de l'espérance (oui, l'action peut devenir un exercice spirituel : ainsi le travail, dans nos monastères, ou les arts martiaux, en Orient), enfin de l'amour, évidemment, plutôt que de la crainte ou de la soumission. Il s'agit moins de croire que de communier et de transmettre, moins d'espérer que d'agir, moins d'obéir que d'aimer. Mais cela, qui faisait l'objet de mon premier chapitre, ne relève de la spiritualité qu'au sens très large du terme, qui en fait presque un synonyme d'«éthique» ou de «sagesse». Cela concerne moins notre rapport à l'absolu, à l'infini ou à l'éternité que notre rapport à l'humanité, à la finitude et au temps. Si je prends maintenant le mot «spiritualité» en son sens strict, il faut aller plus loin, ou plus haut : la vie spirituelle, en sa pointe extrême, touche à la mystique.

J'ai mis longtemps, là encore, à accepter ce dernier mot, qui me paraissait trop religieux ou trop irrationnel pour n'être pas suspect. Puis j'ai dû me faire une raison : c'est le seul mot, en l'occurrence, qui convienne. La lecture, souvent reprise, du *Tractatus logico-philosophicus* de Wittgenstein m'a aidé à l'apprivoiser. On y lit par exemple ceci : «Il y a assurément de l'indicible. Il se montre, c'est le mystique.» Cela m'a rendu les mystiques plus proches, et Spinoza plus concevable. Cela m'a surtout éclairé sur ma propre expérience.

Je parlai d'abord, comme Martial Gueroult à propos de Spinoza, d'un «mysticisme sans mystère». C'était une dernière prudence, à laquelle j'ai dû finalement renoncer.

Pas seulement, on s'en doute, pour des raisons étymologiques. Dans *mystique*, certes, il y a *mystère*. Mais ce ne sont que des mots, et les mots ne prouvent rien. C'est dans le monde que le mystère est le plus grand. C'est dans l'esprit, dès qu'il s'interroge ou se déshabitue du quotidien. Mystère de quoi ? Mystère de l'être : mystère de tout ! Wittgenstein, là encore, a trouvé les mots justes : « Ce n'est pas *comment* est le monde qui est le mystique, mais *qu'il soit.* » C'est toujours la question de l'être (« Pourquoi y a-t-il quelque chose plutôt que rien ? »), sauf que ce n'est plus une question. Une réponse ? Non plus. Mais une expérience, mais une sensation, mais un silence. Disons que c'est l'expérience qui correspond, dans la mystique, à ce qu'exprime cette question dans la métaphysique. Expérience de l'être, derrière la banalité des étants (comme dirait un heideggérien). Expérience du mystère, derrière la transparence feinte des explications.

Le plus souvent, nous passons à côté : nous sommes prisonniers des fausses évidences de la conscience commune, du quotidien, de la répétition, du déjà connu, du déjà pensé, de la familiarité prétendue ou avérée de tout, bref de l'idéologie ou de l'habitude... « Désenchantement du monde », disent-ils souvent. C'est qu'ils ont oublié de le regarder, ou qu'ils l'ont remplacé par un discours. Et puis soudain, au détour d'une méditation ou d'une promenade, cette surprise, cet éblouissement, cet émerveillement, cette évidence : il y a quelque chose, et non pas rien ! Ce quelque chose est *sans pourquoi*, comme la rose d'Angelus Silesius (« La rose est sans pourquoi, fleurit parce qu'elle fleurit, n'a souci d'elle-même, ne désire être vue »), puisque tout *pour-quoi* le suppose. *Causa sui*, disent les philosophes : cause de soi. C'est nommer le mystère, sans le dissoudre. Le silence, face au réel, sonne plus juste. Silence de la sensation. Silence de l'attention (Simone Weil : « L'attention absolument pure est prière » ; mais elle ne s'adresse à personne et ne demande rien). Silence de la contemplation. Silence du réel. C'est l'esprit des haïkus : « Ils sont sans parole, l'hôte, l'invité, et le chrysanthème blanc. » C'est l'esprit des maîtres zen (la « méditation silencieuse et sans objet »). Il n'y a plus que la conscience : il n'y a plus que la vérité. « La méditation, disait Krishnamurti, est le silence de la pensée. » C'est « se libérer du connu », comme il disait aussi, pour accéder au réel.

Toutes nos explications sont de mots ; c'est le domaine des sciences et de la philosophie. Il n'est pas question d'y renoncer. Écrirais-je un livre autrement ? Mais pas question non plus d'oublier le silence que toutes nos explications recouvrent, qui les contient et qu'elles ne contiennent pas. Silence de l'inexplicable, de l'inexprimable (sinon indirectement), de l'irremplaçable. Cela, dont parlent tous nos discours, et qui n'en est pas un. Non le Verbe, mais le silence. Non le sens, mais l'être. C'est le domaine de la spiritualité ou de la mystique, lorsqu'elles échappent à la religion. L'être est mystère, non du tout parce qu'il serait caché ou cacherait quelque chose, mais parce que l'évidence et le mystère sont une seule et même chose – parce que le mystère est l'être même !

L'immanensité

Nous sommes dedans – au cœur de l'être, au cœur du mystère. Spiritualité de l'immanence : tout est là, et c'est ce qu'on appelle l'univers.

Fini ? Infini ? Nous ne le savons pas. Nous ne pouvons le savoir. La question, pour les physiciens, reste ouverte. Comment pourraient-ils la clore, d'ailleurs, puisqu'ils ne savent pas si l'univers est le Tout (si l'univers qu'ils étudient est le seul, ou bien s'il en existe d'autres, voire une infinité : le Tout, qu'ils appellent parfois *multivers*, serait leur somme) ? Quant aux métaphysiciens, ils s'opposent là-dessus depuis des siècles. C'est l'une des antinomies insolubles, montre Kant, dans laquelle la raison nécessairement s'enferre, lorsqu'elle prétend connaître l'absolu. Les sciences et l'univers n'en continuent pas moins.

D'un point de vue spirituel, l'enjeu n'est pas considérable – sauf par cette ignorance, précisément, où nous sommes. La spiritualité (c'est ce qui la distingue de la métaphysique) relève de l'expérience davantage que de la pensée. Or, si nous avons une *idée* de l'infini, nous n'en avons aucune *expérience*. Nous avons une expérience de l'inconnu (savoir qu'on ne sait pas), laquelle fait partie de la spiritualité (c'est ce que j'appelle le mystère). Mais nous faisons l'expérience aussi, et d'abord, et surtout, de l'immanence et de l'immensité – ce que j'appellerais volontiers, à la façon du poète Jules Laforgue, l'*immanensité*. Nous sommes dans le Tout, et celui-ci, fini ou pas, nous excède de toutes parts : ses limites, s'il en a, sont pour nous définitivement hors d'atteinte. Il nous enveloppe. Il nous contient. Il nous dépasse. Une transcendance ? Non pas, puisque nous sommes dedans. Mais une immanence inépuisable, indéfinie, aux limites à la fois incertaines et inaccessibles. Nous sommes en elle : l'immensité nous porte ; nous habitons, comme dit une chanson de Marc Wetzel, « le tout-lointain ».

C'est ce que chacun peut ressentir, la nuit, en regardant les étoiles. Il n'y faut qu'un peu d'attention et de silence. Il suffit que la nuit soit noire et claire, qu'on soit à la campagne plutôt qu'en ville, qu'on éteigne les lumières, qu'on lève la tête, qu'on prenne le temps de regarder, de contempler, de se taire... L'obscurité, qui nous sépare du plus proche, nous ouvre au plus lointain. On n'y voit pas à cent pas. On voit, même à l'œil nu, à des milliards de kilomètres. Cette traînée blanchâtre ou opalescente ? La voie lactée, notre galaxie, celle du moins dont nous faisons partie : quelque cent milliards d'étoiles, dont la plus proche, notre soleil excepté, est à trente mille milliards de kilomètres... Ce point très brillant ? Sirius, à 8 années-lumière, soit quatre-vingt mille milliards de kilomètres. Cette tache lumineuse presque imperceptible, là-bas, près du Carré de Pégase ? La nébuleuse d'Andromède, une autre galaxie (il en existe des milliards, chacune composée de milliards d'étoiles), qui se trouve à deux millions d'années-lumière, soit quelque vingt milliards de milliards de kilomètres ! La nuit, tout change d'échelle. Le soleil, tant qu'il brillait, nous faisait comme une prison de lumière, qui est le monde – *notre* monde. Voilà que l'obscurité, lorsqu'il fait beau, nous ouvre à la lumière du ciel, qui est l'univers. C'est à peine si je devine le sol sur lequel je marche. Mais je perçois, mieux qu'en plein jour, l'inaccessible qui me contient.

Expérience banale, expérience familière ? Oui, mais qui n'en est que plus bouleversante, quand on consent à s'y plonger, à s'y abandonner, à s'y perdre. Le monde est notre lieu ; le ciel, notre horizon ; l'éternité, notre quotidien. Cela m'émeut davantage que la Bible ou le Coran. Cela m'étonne davantage que les miracles, si j'y croyais. Marcher sur les eaux, quelle broutille à côté de l'univers !

Même les croyants d'ailleurs, devant un tel spectacle, ne peuvent rester insensibles. Pascal, avec son génie propre, avec sa sensibilité propre, a su l'exprimer comme il fallait :

« Quand je considère la petite durée de ma vie, absorbée dans l'éternité précédant et suivant, le petit espace que je remplis et même que je vois, abîmé dans l'infinie immensité des espaces que j'ignore et qui m'ignorent, je m'effraie et m'étonne de me voir ici plutôt que là ; car il n'y a point de raison pourquoi ici plutôt que là, pourquoi à présent plutôt que lors. Qui m'y a mis ? Par l'ordre et la conduite de qui ce lieu et ce temps ont-ils été destinés à moi ? »

Supprimons – parce qu'il excède et notre savoir et notre expérience – l'adjectif « infinie » de ce fragment. L'expérience vécue, qui est celle de l'immanence et de l'immensité, n'en reste pas moins la même (puisque l'infini ne saurait, en tant que tel, être objet d'expérience), et c'est cette expérience d'abord qui touche à la spiritualité. L'univers est là, il nous enveloppe, il nous dépasse : il est tout, et nous ne sommes presque rien. Pascal y voit une source d'inquiétude. J'y vois plutôt un océan de paix, du moins lorsqu'il m'arrive de sentir plutôt que de penser (« Celui qui pense ne perçoit pas, disent les maîtres zen ; celui qui perçoit ne pense pas »). Nous sommes dans l'univers : nous faisons partie du Tout ou de la nature. Et c'est en contemplant cette immensité qui nous contient que nous prenons le mieux conscience, par différence, de notre propre petitesse. Blessure narcissique ? Si l'on veut. Mais qui agrandit l'âme – parce que l'ego, enfin remis à sa place, cesse de l'occuper toute.

L'argument est traditionnel ; mais c'est moins un argument, là encore, qu'une expérience : expérience de l'immensité de la nature, donc aussi de notre propre petitesse. Marc Aurèle, citant Platon, s'en servait pour mettre la peur de la mort à distance :

> « – Crois-tu qu'un homme doué de grandeur d'âme, à qui il est donné de contempler tous les temps et tous les êtres, puisse regarder la vie humaine comme quelque chose de grand ?
> – C'est impossible.
> – Donc il ne verra dans la mort rien de terrible. »

Cela va bien au-delà d'une pensée consolatrice. Marc Aurèle veut moins nous rassurer que nous aider à grandir, moins nous consoler que nous libérer. Le moi est une prison. Prendre conscience de sa petitesse (tel est le propre, chez Marc Aurèle, de la grandeur d'âme), c'est déjà en sortir. C'est en quoi l'expérience de la nature, dans son immensité, est une expérience spirituelle – parce qu'elle aide l'esprit à se libérer, au moins en partie, de la petite prison du moi.

Effroi ? C'est le mot de Pascal. C'est la sensibilité de Pascal, qui s'exprime aussi dans un autre fragment des *Pensées*, peut-être le plus fameux de tous, sans doute l'un des plus beaux, assurément l'un des plus courts : « *Le silence éternel de ces espaces infinis m'effraie.* » Est-ce Pascal qui parle en son nom propre, qui se confie, qui tremble dans le noir ? Ou est-ce un libertin qu'il fait parler, qu'il se propose, par la religion, de rassurer ? Les commentateurs en ont débattu longtemps. Le vrai c'est qu'on ne peut trancher. Les deux hypothèses, d'ailleurs, ne sont point incompatibles. Il y a un prosélyte, chez Pascal, c'est son petit côté. Mais il y a aussi un homme d'exception, l'un des plus grands qui fut jamais – par l'intelligence, par la lucidité, par la pénétration. Celui-là parle à tous, croyants ou non. Celui-là est un maître – mais à penser plutôt qu'à vivre. L'universalité de son génie n'empêche pas qu'il ait son tempérament propre, si facilement porté vers l'angoisse ou le vertige. On ne peut s'empêcher de l'admirer. On n'est pas tenu de le suivre.

Chacun son chemin. La sérénité n'est pas non plus mon fort. Mais ce n'est pas l'univers qui m'angoisse, ni l'espace, ni l'infini, ou semblant tel, ni l'éternité, ni le silence... Au contraire : tout m'angoisse, dirais-je volontiers, en tout cas tout peut m'angoisser, sauf le Tout lui-même, qui m'apaise. Question de sensibilité, à ce que je crois, plutôt que de doctrine. Question d'échelle ou de distance. Mes angoisses, je ne m'en vante pas, sont presque toutes égoïstes, en tout cas égocentrées : je n'ai peur que pour moi ou pour ceux que j'aime – que pour moi et mes proches. C'est pourquoi le lointain me fait du bien : il met mes angoisses à distance. La contemplation de l'immensité, qui rend l'ego dérisoire, rend l'égocentrisme en moi, donc aussi l'anxiété, un peu moins forts, un peu moins oppressants, au point, parfois, de sembler les annuler quelques instants. Quel calme, soudain, lorsque l'ego se retire ! Il n'y a plus que tout (avec le corps dedans, merveilleusement dedans, comme rendu au monde et à lui-même) ; il n'y a plus que l'immense *il y a* de l'être, de la nature, de l'univers, et plus personne en nous pour avoir peur, ni même pour être rassuré, ou du moins plus personne, en cet instant-là, en ce corps-là, pour se soucier de la peur ou de la sécurité, de l'angoisse ou du danger... C'est ce que les Grecs appelaient *ataraxia* (l'absence de troubles), ce que les Latins ont traduit par *pax* (la paix, la sérénité), mais ce n'est pas d'abord un mot (Krishnamurti : « Le mot "tranquillité" n'est pas la tranquillité »), ni un concept : c'est une expérience, et qui ne porte sur le moi, ou qui le traverse, qu'autant qu'elle s'en libère.

Tout ego est effrayé, toujours. C'est ce qui donne raison à Pascal, tant que l'ego nous sépare du réel, et qui lui donne tort, lorsque l'ego se dissout – provisoirement – en cessant de se séparer. Nuit claire : « nuit sereine », comme dit

Lucrèce, nuit lumineuse et douce. Que pèsent nos soucis, face à la voie lactée ? Cela ne les annule pas (qui le pourrait ?), mais les rend plus supportables, tant qu'ils ne sont point trop atroces, plus acceptables (oui : ouverts au regard et à l'action), plus ordinaires, plus légers... Le silence éternel de ces espaces infinis m'apaise.

Le « sentiment océanique »

Au fond, c'est ce que Freud, reprenant une expression de Romain Rolland, appelle « le sentiment océanique ». Il le décrit comme « un sentiment d'union indissoluble avec le grand Tout, et d'appartenance à l'universel ». Ainsi la vague ou la goutte d'eau, dans l'océan... Le plus souvent ce n'est qu'un *sentiment*, en effet. Mais il arrive que ce soit une expérience, et bouleversante, ce que les psychologues américains appellent aujourd'hui un *altered state of consciousness*, un état modifié de conscience. Expérience de quoi ? Expérience de l'unité, comme dit Svâmi Prajnânpad : c'est s'éprouver un avec tout.

Ce sentiment « océanique » n'a rien, en lui-même, de proprement religieux. J'ai même, pour ce que j'en ai vécu, l'impression inverse : celui qui se sent « un avec le Tout » n'a pas besoin d'autre chose. Un Dieu ? Pour quoi faire ? L'univers suffit. Une Église ? Inutile. Le monde suffit. Une foi ? À quoi bon ? L'expérience suffit.

Que cette expérience puisse se dire en termes religieux,

c'est bien sûr possible, lorsqu'elle tombe, si l'on peut dire, sur un croyant. Mais ce n'est nullement nécessaire. Michel Hulin, dans le beau livre qu'il a consacré à ce qu'il appelle «la mystique sauvage» (l'expérience mystique spontanée d'individus ordinaires, qui ne sont pas répertoriés comme des «mystiques», au sens traditionnel du terme), reproduit plusieurs témoignages, qui décrivent cet état. Quoique venant d'individus très différents, croyants ou non, ils sont le plus souvent convergents. On y trouve la même soudaineté, le même sentiment que «tout est là», la même éternité présente, la même plénitude, le même silence («l'intellect est mis hors circuit», note Michel Hulin), la même joie indicible et surabondante... Par exemple, citées dans *La Mystique sauvage* (PUF, 1993), ces quelques lignes de Marius Favre : «Étais-je aspiré par l'univers, ou l'univers pénétrait-il en moi? Ces expressions n'ont guère de sens en l'occurrence, puisque les frontières entre mon corps et le monde s'évanouissaient, ou plutôt semblaient n'avoir été qu'une hallucination de ma raison, qui fondait aux feux de l'évidence... Tout était là, plus présent que jamais...» Ou celles-ci, toujours citées par Michel Hulin, qui sont de Richard Jefferies : «L'éternité est là, maintenant. Je suis dedans. Elle est autour de moi dans l'éclat du soleil. Je suis en elle comme le papillon qui flotte dans l'air saturé de lumière. Rien n'est à venir. Tout est déjà là. Maintenant l'éternité. Maintenant la vie immortelle. Ici, en cet instant, près de ce tumulus, maintenant, je vis en elle...» Ou encore celles-ci, de Margaret Montague : «Je ne vis aucune chose nouvelle, mais je vis toutes les choses habituelles dans une lumière nouvelle et miraculeuse, dans ce qui, je crois, est leur véritable lumière. Je perçus l'extravagante splendeur, la joie, défiant toute tentative de description de ma part, de la vie en sa totalité. Chacun des êtres humains qui traversaient la véranda, chaque moineau dans son vol, chaque rameau oscillant dans le vent était partie intégrante du tout, comme pris dans cette folle extase de joie, de signification, de vie enivrée. Je vis cette beauté partout présente... Une fois au moins, au milieu de la grisaille des jours de ma vie, j'aurai regardé dans le cœur de la réalité, j'aurai été témoin de la vérité. » Bien malin celui, lisant ces évocations, qui saurait dire si leur auteur croit ou non en Dieu ! Les expériences dont elles font état ne relèvent d'aucune théologie particulière, d'aucune croyance particulière, ni n'en confirment ou n'en réfutent aucune. C'est ce qui fait leur force – parce qu'elles sont au plus près de ce que chacun peut vivre, quelles que soient par ailleurs ses convictions religieuses ou irréligieuses.

Il existe d'ailleurs un autre texte, que ne cite pas Michel Hulin, qui m'a toujours paru aller dans le même sens, et qui se situe cette fois dans un climat spirituel clairement athée. Il est vrai qu'il s'agit d'un roman, mais je ne doute pas que son auteur, indépendamment de la fiction, parle aussi d'expérience. Il s'agit de la fin, si belle, si émouvante, de *L'Étranger*, d'Albert Camus. On se souvient qu'il s'agit d'un condamné à mort, à la veille de son exécution : « La merveilleuse paix de cet été endormi entrait en moi comme une marée... Vidé d'espoir, devant cette nuit chargée de signes et d'étoiles, je m'ouvrais pour la première fois à la tendre indifférence du monde. De l'éprouver si pareil à moi, si fraternel enfin, j'ai senti que j'avais été heureux, et que je l'étais encore. » Ces « noces avec le monde », comme dit ailleurs Camus, relèvent bien d'une expérience spirituelle, mais qui se vit tout entière dans l'immanence. Rien à espérer. Rien à croire. Le bonheur ? C'est trop dire, ou trop peu, pour une expérience qui dépasse le cadre de la psychologie ordinaire. C'est comme s'il n'y avait plus que la vérité, qui serait le monde, que la conscience, mais qui serait vraie. « Quand donc suis-je plus vrai que lorsque je suis le monde ? », se demande Camus, dans *L'envers et l'endroit*. Et il ajoute, en guise de réponse : « Je suis comblé avant d'avoir désiré. L'éternité est là et moi je l'espérais. Ce n'est plus d'être heureux que je souhaite maintenant, mais seulement d'être conscient. » L'absurde ? Ce n'est plus la question. C'est qu'il n'y a plus de *question* du tout. L'absurde n'est qu'un point de départ, qui débouche, chez Camus, sur une politique de la révolte et une éthique de l'amour, mais aussi, et peut-être surtout, sur une mystique du silence et de l'immanence.

Des expériences comparables sont vécues sur tous les continents, dans des climats intellectuels et spirituels fort différents, et cela ne rend les convergences, entre les récits qui en sont faits, que plus spectaculaires. Le « sentiment océanique » n'appartient à aucune religion, à aucune philosophie, et c'est tant mieux. Ce n'est pas un dogme, ni un acte de foi. C'est une expérience.

La perplexité de Freud, devant le témoignage de Romain Rolland, n'en est que plus grande. Car cet état, souvent vécu comme une révélation, Freud reconnaît ne l'avoir jamais éprouvé. On sait qu'il était le contraire d'un mystique. Dans une lettre à Romain Rolland, écrite en juillet 1929, on peut lire ces deux phrases, où il est difficile de ne pas entendre comme un regret : « Combien me sont étrangers les mondes dans lesquels vous évoluez ! La mystique m'est aussi fermée que la musique. » C'est pourquoi peut-être il attache tellement d'importance au témoignage de son « ami vénéré ». Reste, on ne se refait pas, à l'interpréter en termes psychanalytiques, ne serait-ce que pour le mettre à distance (pour « l'écarter de mon chemin », écrit Freud). Tel est l'objet des premières pages de *Malaise dans la civilisation.* Dans ce « sentiment océanique », Freud voit l'expression d'un « narcissisme illimité », qu'il rapporte à « une phase primitive du sentiment du moi », antérieure, chez le nourrisson, à la scission entre le moi et le monde extérieur. Peut-être. Cela pourrait expliquer que plusieurs, rapportant leurs propres expériences, aient parlé, pour décrire ces états, d'une expérience d'amour (au sens de l'amour reçu, non de l'amour ressenti ou donné). Amour de soi ? Amour de la mère ? Régression intra-utérine ? Projection narcissique ? Ou bien, comme l'écrira Freud en 1938, à propos du mysticisme, « l'obscure autoperception, au-delà du Moi, du règne du Ça » ? Tout est possible. Tout est incertain. Pour ma part, puisque chacun ne peut parler ici que de sa propre expérience, je n'ai rien vécu de tel : l'univers m'a toujours paru indifférent à tout, c'est-à-dire à lui-même – sans amour, sans haine, sans affects. Que je puisse l'aimer, c'est heureux (puisque c'est le bonheur même). Mais pourquoi m'aimerait-il ? La nature n'est pas notre mère. Cela tombe bien. Une mère, dans une vie d'homme, cela suffit.

Ce sentiment océanique, tel que le décrivent Romain Rolland ou Freud, ne m'est pourtant pas inconnu. Cette « sensation d'éternité, de quelque chose de sans borne, de sans frontière », comme dit Freud, cette impression de sécurité ultime, même face au danger (la certitude qu'« on ne peut tomber hors du monde »), ce sentiment d'être « un avec le Tout »... Oui, j'ai vécu cela, comme beaucoup d'entre nous, et je n'ai rien vécu depuis de plus fort, ni de plus délectable, ni de plus bouleversant, ni de plus apaisant. Une extase ? Ce n'est pas le mot que j'utiliserais : il n'y avait plus de *dehors* vers quoi s'arracher. Plutôt une *enstase* : l'expérience d'une intériorité (mais qui me contient, et que je ne contiens pas), d'une immanence, d'une unité, d'une immersion, d'un *dedans*. Une vision ? Pas au sens, en tout cas, où on l'entend ordinairement. Je n'ai rien vécu de plus simple. Je n'ai rien vécu de plus naturel. Un mystère ? Sans doute, mais indissociable d'une évidence. Une révélation ? Si l'on veut. Mais sans message ni secret.

Une expérience mystique

La première fois, c'était dans une forêt du nord de la France. J'avais vingt-cinq ou vingt-six ans. J'enseignais la philosophie, c'était mon premier poste dans le lycée d'une toute petite ville, perdue dans les champs, au bord d'un canal et d'une forêt, non loin de la Belgique. Ce soir-là, après dîner, j'étais parti me promener avec quelques amis, comme souvent, dans cette forêt que nous aimions. Il faisait nuit. Nous marchions. Les rires peu à peu s'étaient tus ; les paroles se faisaient rares. Il restait l'amitié, la confiance, la présence partagée, la douceur de cette nuit et de tout... Je ne pensais à rien. Je regardais. J'écoutais. Le noir du sous-bois tout autour. L'étonnante luminosité du ciel. Le silence bruissant de la forêt : quelques craquements de branches, quelques cris d'animaux, le bruit plus sourd de nos pas... Cela n'en rendait le silence que plus audible. Et soudain... Quoi ? Rien : Tout ! Pas de discours. Pas de sens. Pas d'interrogations. Juste une surprise. Juste une évidence. Juste un bonheur qui semblait infini. Juste une paix qui semblait éternelle. Le ciel étoilé au-dessus de moi, immense, insondable, lumineux, et rien d'autre en moi que ce ciel, dont je faisais partie, rien d'autre en moi que ce silence, que cette lumière, comme une vibration heureuse, comme une joie sans sujet, sans objet (sans autre objet que tout, sans autre sujet qu'elle-même), rien d'autre en moi, dans la nuit noire, que la présence éblouissante de tout ! Paix. Immense paix. Simplicité. Sérénité. Allégresse. Ces deux derniers mots semblent contradictoires, mais ce n'était pas des mots, c'était une expérience, c'était un silence, c'était une harmonie. Cela faisait comme un point d'orgue, mais éternel, sur un accord parfaitement juste, qui serait le monde. J'étais bien. J'étais étonnamment bien ! Tellement bien que je n'éprouvais plus le besoin de me le dire, ni même le désir que cela continue. Plus de mots, plus de manque, plus d'attente : pur présent de la présence. C'est à peine si je peux dire que je me promenais : il n'y avait plus que la promenade, que la forêt, que les étoiles, que notre groupe d'amis... Plus d'*ego*, plus de séparation, plus de représentation : rien que la présentation silencieuse de tout. Plus de jugements de valeur : rien que le réel. Plus de temps : rien que le présent. Plus de néant : rien que l'être. Plus d'insatisfaction, plus de haine, plus de peur, plus de colère, plus d'angoisse : rien que la joie et la paix. Plus de comédie, plus d'illusions, plus de mensonges : rien que la vérité qui me contient, que je ne contiens pas. Cela dura peut-être quelques secondes. J'étais à la fois bouleversé et réconcilié, bouleversé et plus calme que jamais. Détachement. Liberté. Nécessité. L'univers enfin rendu à lui-même. Fini ? Infini ? La question ne se posait pas. Il n'y avait plus de questions. Comment y aurait-il des réponses ? Il n'y avait que l'évidence. Il n'y avait que le silence. Il n'y avait que la vérité, mais sans phrases. Que le monde, mais sans signification ni but. Que l'immanence, mais sans contraire. Que le réel, mais sans autre. Pas de foi. Pas d'espérance. Pas de promesse. Il n'y avait que tout, et la beauté de tout, et la vérité de tout, et la présence de tout. Cela suffisait. Cela faisait beaucoup plus que suffire ! Acceptation, mais joyeuse. Quiétude, mais tonique (oui : cela faisait comme un inépuisable courage). Repos, mais sans fatigue. La mort ? Ce n'était rien. La vie ? Ce n'était que cette palpitation en moi de l'être. Le salut ? Ce n'était qu'un mot, ou bien c'était cela même. Perfection. Plénitude. Béatitude. Quelle joie ! Quel bonheur ! Quelle intensité ! Je me dis : « C'est ce que Spinoza appelle l'éternité... » Cela, on s'en doute, la fit cesser, ou plutôt m'en chassa. Les mots revenaient, et la pensée, et l'ego, et la séparation... C'était sans importance : l'univers était toujours là, et moi avec, et moi dedans. Comment pourrait-on tomber hors du Tout ? Comment l'éternité pourrait-elle finir ? Comment les mots pourraient-ils étouffer le silence ? J'avais vécu un moment parfait – juste assez pour savoir ce qu'est la perfection. Un moment bienheureux – juste assez pour savoir ce qu'est la béatitude. Un moment de vérité – juste assez pour savoir, mais d'expérience, qu'elle est éternelle.

« Nous sentons et expérimentons que nous sommes éternels », écrit Spinoza dans l'*Éthique* – non que nous le *serons*, après la mort, mais que nous le *sommes*, ici et maintenant. Eh bien voilà : je l'avais senti et expérimenté, en effet, et cela fit en moi comme une révélation, mais sans Dieu. C'est le plus beau moment que j'aie vécu, le plus joyeux, le plus serein, et le plus évidemment spirituel. Comme les prières de mon enfance ou de mon adolescence, à côté, me semblent dérisoires ! Trop de mots. Trop d'ego. Trop de narcissisme. Ce que j'ai vécu, cette nuit-là, et ce qu'il m'est arrivé d'autres fois de vivre ou d'approcher, c'est plutôt le contraire : comme une vérité sans mots, comme une conscience sans ego, comme un bonheur sans narcissisme. Intellectuellement, je n'y vois aucune preuve de quoi que

169

ce soit ; mais je ne peux pas non plus faire comme si cela n'avait pas eu lieu.

Je rejoignis mes amis, que j'avais laissé quelque peu me distancer. Je ne leur dis rien de ce que j'avais vécu. Il fallut rentrer. Ma vie reprit son cours comme avant, ou plutôt continua de le suivre. Je laissai l'éternité continuer sans moi... Je ne suis pas de ceux qui savent habiter durablement l'absolu. Mais enfin il m'avait habité, l'espace d'un instant. J'avais enfin compris ce que c'était que le salut (ou la béatitude, ou l'éternité : peu importent les mots, puisqu'il ne s'agit plus de discours), ou plutôt je l'avais éprouvé, senti, *expérimenté*, et cela me dispensa désormais de le chercher.

De telles expériences se sont reproduites quelquefois, d'ailleurs de plus en plus rarement (je comprendrai, quelques années plus tard, pourquoi les grands mystiques sont ordinairement sans enfants : c'est que nos enfants nous attachent, par trop d'amour, ou trop passionnel, par trop d'angoisses, par trop de soucis, nous séparant ainsi de l'absolu, ou plutôt nous interdisant de l'habiter simplement), sans que cela me manque ou me perturbe à l'excès. D'ailleurs quelque chose, dans mon rapport au temps, en est resté modifié, comme apaisé (oui, même au cœur de l'angoisse), comme purifié, comme libéré... Une certaine ouverture au présent, au temps qui passe et qui demeure, à l'éternité du devenir, à l'impermanence pérenne de tout... Ces expériences, même exceptionnelles, ont modifié ma vie quotidienne, et l'ont rendue plus heureuse (les bons jours) ou moins lourde. Elles ont transformé durablement mon rapport au monde, aux autres, à moi-même, à l'art (quelle éternité, parfois, chez Vermeer ou Mozart!), à la philosophie, à la spiritualité... Je ne me suis jamais pris pour un mystique, encore moins pour un sage. J'ai passé plus de temps à penser l'éternité – par exemple à commenter le livre V de l'*Éthique* de Spinoza – qu'à la vivre. C'est ce qu'on appelle un philosophe. Il n'y a pas de sot métier. Mais enfin je savais à présent de quoi je parlais – dans mes cours, bientôt dans mes livres –, de quoi parlaient Épicure, Spinoza ou Wittgenstein (les « biens immortels » du premier, le *« sub specie aeternitatis »* du second, la « vie éternelle » du troisième), de quoi parlaient Lao-tseu ou Nâgârjuna, Krish-namurti ou Prajnânpad (que je n'avais pas encore lus), de quoi parlent presque tous les sages, en tous pays, en toutes langues, et que ce n'est pas d'un discours mais d'un silence.

Parler du silence ?

Il faut pourtant essayer d'en dire quelque chose, malgré Lao-tseu et Wittgenstein, ou plutôt avec eux.

« Le Tao qui se laisse exprimer n'est pas le Tao de toujours », disait le premier. Sans doute, puisque « Tao » n'est qu'un nom, quand le Tao (l'absolu) est « sans nom ». Raison de plus, c'est ce que confirme l'existence du *Tao-te king*, pour essayer de dire – avec des mots, il le faut bien – ce qui n'est pas un discours, ni un mot.

« Ce dont on ne peut parler, écrit le second, il faut le

taire.» Soit. Mais de quoi ne peut-on parler? Qu'un objet soit silencieux, cela ne prouve pas qu'il soit indicible. Un caillou ne dit rien; cela n'empêche pas d'en dire quelque chose qui soit vrai. Toute sensation est muette (*alogos*, disait Épicure); cela n'empêche pas (mais rend possible, au contraire) d'appuyer sur elle nos paroles. Quelle connaissance autrement? Quel témoignage autrement? Que la vérité ne soit pas un discours, cela n'empêche pas un discours d'être vrai.

Quand bien même l'absolu serait indicible, d'ailleurs, cela ne prouverait pas que l'expérience elle-même, qui le vise ou le rencontre, le soit. Voyez nos poètes, nos artistes, nos mystiques. Pourquoi le philosophe ne pourrait-il essayer de les suivre? Comment, même, pourrait-il s'en dispenser? Penser le tout de l'expérience humaine, comme il lui incombe de le faire, c'est aussi penser – bien sûr relativement – notre relation à l'absolu. Dire l'indicible? On n'a peut-être jamais rien dit d'autre. Parler du silence? Pourquoi non? Cela vaut mieux que de ne parler que du discours.

«L'idée de cercle n'est pas ronde, disait Spinoza, le concept de chien n'aboie pas.» Le concept de silence, pareillement, n'est pas silencieux, pas plus que le concept d'absolu n'est absolu. Et alors? C'est ce qui permet de parler de leur objet (le silence, l'absolu, non leurs concepts), bien sûr avec des mots et relativement. Ce n'est pas plus paradoxal que d'énoncer sur un chien autre chose que des aboiements. Ce qu'on peut taire, et cela seul, on peut aussi le dire.

Essayons.

Si je m'efforce, rétrospectivement, de tirer quelques leçons de ce que j'ai vécu, dans ces rares expériences, et aussi de ce que j'ai lu, chez les mystiques (surtout orientaux) comme chez les philosophes (surtout occidentaux), il me semble que cet « état modifié de conscience » qu'est l'expérience mystique se caractérise par un certain nombre de suspensions ou de mises entre parenthèses. J'ai déjà évoqué en passant plusieurs d'entre elles, mais il est sans doute utile, pour finir, d'en dresser une liste à la fois succincte et point trop incomplète.

Le mystère et l'évidence

D'abord, donc (mais ce « d'abord » ne vaut que pour l'exposé, nécessairement successif, non pour l'expérience elle-même, qui est toute de simultanéité), la suspension ou la mise entre parenthèses de la familiarité, de la banalité, de la répétition, du déjà connu, du déjà pensé, des fausses évidences de la conscience commune. C'est comme si soudain tout était neuf, singulier, étrange, étonnant, non pas irrationnel, certes, mais inexplicable ou incompréhensible, comme au-delà de toute raison (la raison en fait partie ; comment pourrait-elle le contenir ?). C'est ce que j'ai appelé le *mystère*.

Ensuite, ou plutôt en même temps, la suspension ou la mise entre parenthèses des interrogations, des questions, des problèmes – non parce qu'ils seraient résolus, mais parce qu'ils ne se posent plus. Pourquoi y a-t-il quelque chose plutôt que rien ? La question a disparu : il n'y a plus que la réponse, qui n'en est pas une (puisqu'il n'y a plus de question). Il n'y a plus que l'être. Il n'y a plus que le réel. C'est ce que j'ai appelé l'*évidence*. Woody Allen, dans l'un de ses aphorismes, s'en est humoristiquement approché : « La réponse est oui. Mais quelle peut bien être la question ? » Il n'y a pas de question ; c'est pourquoi la réponse toujours est *oui*, qui n'est pas une réponse mais un constat (en nous) ou une présence (en tout). Mystère de l'être : évidence de l'être. Les deux ne font qu'un. C'est pourquoi le mystère n'est pas un problème, ni l'évidence une solution. Wittgenstein, ici, a les formules les plus justes : « La solution de l'énigme, c'est qu'il n'y a pas d'énigme. [...] La solution du problème de la vie, on la perçoit à la disparition de ce problème. »

Le mystère et l'évidence sont un, et c'est le monde. Mystère de l'être : lumière de l'être.

Plénitude

Autre mise entre parenthèses : la suspension du manque. C'est une expérience tout à fait exceptionnelle. D'ordinaire, nous passons notre temps à courir après quelque chose que nous n'avons pas, qui nous fait défaut, que nous voudrions obtenir ou posséder... C'est ce qu'avait vu Lucrèce : « Tant qu'il nous échappe, l'objet de nos désirs nous semble supérieur à tout le reste ; est-il à nous, que nous désirons autre chose, et la même soif de la vie nous tient toujours en haleine. » Nous sommes prisonniers du manque : prisonniers du néant. Prisonniers du désir ? Plutôt de la *soif*, comme dit Lucrèce, comme dit le Bouddha *(tanhâ)*, ou de l'espérance, comme disaient les stoïciens (le désir de ce qu'on n'a pas). Nous ne vivons pas, dira Pascal après Sénèque, nous espérons de vivre... Le néant nous tient ; c'est que nous tenons à lui.

Mais il y a, parfois, rarement, des moments de grâce, où l'on a cessé de désirer quoi que ce soit d'autre que ce qui est (ce n'est plus espérance mais amour) ou que ce que l'on fait (ce n'est plus espérance mais volonté), où l'on ne manque de rien, où l'on n'a plus rien à espérer, ni à regretter, où la question de la possession ne se pose plus (il n'y a plus d'avoir, il n'y a que l'être et l'agir), et c'est ce que j'appelle la *plénitude*. Pas besoin pour y atteindre (quoique cela puisse aider) de faire zazen pendant des heures. Lequel d'entre nous n'a jamais connu un moment de plénitude ? Par exemple en faisant l'amour (quand on ne court plus après la performance, ni après l'autre, ni après soi, quand même l'orgasme et l'amour ont cessé de manquer, quand il n'y a plus que le pur plaisir, comme disait Lucrèce, *pura voluptas*, que le pur désir, mais sans manque, que la puissance de jouir et de faire jouir...), ou bien en faisant du sport (miracle du second souffle : quand il n'y a plus que la pure puissance de courir), ou devant une œuvre d'art (quelle plénitude, parfois, en écoutant Mozart !), ou devant un sublime paysage (qui voudrait posséder les Alpes ou l'Océan ?), ou encore, plus simplement, plus tranquillement, lors d'une promenade ou d'une randonnée...

Vous marchez dans la campagne. Vous êtes bien. Cela avait commencé comme un divertissement ou un exercice : quelques heures à occuper, quelques grammes à perdre... Puis c'est devenu autre chose. Comme un plaisir plus subtil, plus profond, plus élevé. Comme une aventure, mais intérieure. Comme une expérience, mais spirituelle. Oubliés les kilos en trop. Oubliés l'ennui ou l'angoisse. Vous n'avez plus de but, ou vous l'avez déjà atteint, disons que vous ne cessez, à chaque pas, de l'atteindre : vous marchez. C'est comme un pèlerinage dans l'immanence, mais qui n'irait nulle part, ou plutôt qui n'irait que là, exactement, où vous êtes. Vous ne désirez rien d'autre que le pas que vous accomplissez, au moment même où vous l'accomplissez, rien d'autre que la campagne comme elle est, à cet instant même, avec cet oiseau qui chante ou qui crie, cet autre qui s'envole, avec en vous cette force dans les mollets, cette légèreté dans le cœur, cette paix dans l'âme... Et comme vous êtes en effet en train d'accomplir ce pas, comme la campagne est exactement ce qu'elle est, comme cet oiseau crie ou chante, comme cet autre s'envole, comme vous êtes exactement ce que vous êtes (tonique, joyeux, serein), il ne vous manque rien : plénitude.

L'expérience mystique ne fait qu'aller un peu plus loin dans la même direction – quand ce n'est plus tel ou tel étant qui vous satisfait, mais l'être lui-même, qui vous comble. Vous êtes comme miraculeusement libéré de la frustration :

libéré du manque, libéré du néant! Il n'y a plus que l'être :
il n'y a plus que la joie. (L'angoisse, sentiment du néant;
la joie, sentiment de l'être). Il n'y a plus que la plénitude
du réel. Comment pourriez-vous désirer autre chose? Plus
de manque en vous à combler. Plus de soif. Plus d'avidité.
Plus de convoitise. Parce que vous avez tout? Non pas. Mais
parce que vous êtes affranchi (c'est en quoi cela touche à la
spiritualité) de la possession elle-même. Il n'y a plus que
l'être sans appartenance, et la joie, en vous, d'en faire partie.

Tout ego est frustré, toujours. Quand il n'y a plus de
frustration, il n'y a plus d'ego.

Simplicité

C'est pourquoi vous êtes aussi comme libéré de vous-
même : parce qu'il n'y a plus de dualité entre ce que vous
faites et la conscience qui l'observe, entre le corps et l'âme,
entre le *je* et le *moi*. C'est qu'il n'y a plus que le *je*. C'est
qu'il n'y a plus que la conscience. C'est qu'il n'y a plus que
l'action (le corps en acte). Suspension de la dualité intérieure, de la représentation (au double sens de l'idée et du
spectacle), de toute la comédie du moi : mise entre parenthèses de l'ego. C'est ce que j'appelle la *simplicité*. Vous ne
faites plus semblant d'être ce que vous êtes (c'est en quoi la
simplicité est le contraire de la mauvaise foi, au sens sartrien
du terme), ni d'être autre chose (c'est en quoi la simplicité
est une récusation de l'existentialisme : essayez un peu, au

présent, de n'être pas ce que vous êtes ou d'être ce que vous n'êtes pas !). D'ailleurs vous n'êtes rien, en tout cas pas un être, ni une substance : vous vivez, vous sentez, vous agissez. Il n'y a qu' « un flux de perceptions », dirait Hume, qu'une action, mais sans acteur, qu'une vie mais sans autre sujet qu'elle-même. Il n'y a qu'une expérience, dirait Wittgenstein (« Toute expérience est du monde et n'a pas besoin du sujet »). C'est ce que les bouddhistes appellent l'*anâtman* (pas de moi, pas de Soi : rien qu'un procès sans sujet ni fin), mais qui n'est pas vécu comme négation, ni comme privation, malgré la lettre du mot (le *a*, dans *anâtman*, est privatif), ce pourquoi je préfère parler de simplicité, en français, plutôt que de non-moi ou de non-ego. Rien de plus difficile, métaphysiquement, à penser (voyez Spinoza, Hume, Nietzsche, Lévi-Strauss). Rien de plus simple, spirituellement, à vivre – même si cette simplicité-là reste l'exception. Ce sont les moments où l'on s'oublie, comme on dit, et jamais la conscience n'est aussi pure, aussi nette, aussi déliée. Les virtuoses, lors d'un concert, y atteignent parfois, du moins les plus grands : ce sont leurs moments de grâce, quand il n'y a plus que la musique. Mais chacun d'entre nous peut y accéder, à proportion de sa simplicité, de sa maîtrise, de sa virtuosité propre, dans tel ou tel domaine. Simplicité de l'action. Simplicité de l'attention. « Quand vous êtes absorbé dans une activité, quelle qu'elle soit, demande Prajnânpad, sentez-vous un ego quelconque ? Non, il n'y a plus de séparation. » C'est qu'il n'y a plus que l'activité.

Celui qui se regarde agir, ce n'est pas l'action juste.

Celui qui se veut attentif, ce n'est pas l'attention juste.

Vous avez du mal à être simple ? Commencez par le plus facile : s'asseoir, marcher, respirer... C'est l'esprit du Soto Zen : « La technique est le chemin ; le chemin est la technique. » Mais où il mène, ce n'est plus une technique, ni un chemin. C'est la vie elle-même, dans sa simplicité. On a cessé de se regarder : on voit. On a cessé de faire semblant : on agit. On a cessé d'attendre : on est attentif. Quoi de plus simple que la simplicité ? Quoi de plus rare ? C'est être un avec soi, au point qu'il n'y a plus de soi : il n'y a plus que l'un, il n'y a plus que l'acte, il n'y a plus que la conscience. Vous vous promeniez ? Il n'y a plus que la promenade. Vous faisiez l'amour ? Il n'y a plus que le désir ou l'amour. Vous méditiez ? Il n'y a plus que la méditation. Vous agissiez ? Il n'y a plus que l'action (c'est le secret des arts martiaux, par quoi ils touchent à la spiritualité). Vous étiez ? Il n'y a plus que l'être.

Unité

Plus de séparation entre vous et vous, donc. Mais plus de séparation non plus entre vous et le monde, entre l'intérieur et l'extérieur, entre le *je* et tout. Suspension ou mise entre parenthèses de la dualité, donc aussi et à nouveau de l'ego : il n'y a plus que tout, et l'unité de tout. C'est ce que j'appelais plus haut, avec Freud ou Romain Rolland, le « sentiment océanique», ce que les Orientaux appellent l'*advaita* (la non-dualité, le non-dualisme) et que j'aime mieux appeler, avec Svâmi Prajnânpad, l'expérience de l'*unité*. Elle est indissociable de celle de la simplicité, au point qu'il soit difficile, même intellectuellement, de les distinguer. Lorsqu'il n'y a plus de dualité intérieure, il n'y a plus de dualité avec l'extérieur. Il suffit d'être un avec sa conscience ou avec son corps (les deux vont ensemble : c'est ce que j'appelle la simplicité) pour être un avec le monde (c'est ce que j'appelle l'unité). «En vérité, il n'y a qu'un, sans second», disait Prajnânpad, et c'est la vérité même.

Philosophiquement, donc après coup, ce n'est pas sans évoquer le monisme ou le panthéisme. On pensera à l'unité de la substance, chez Spinoza. Ou à l'unité matérielle du monde, chez les matérialistes. Mais c'est le contraire d'un système, qui ne sait qu'exclure : c'est une expérience, qui se donne plutôt comme une immersion, comme une fusion, comme une intégration réussie. Il ne s'agit pas d'être spinoziste ou non, matérialiste ou pas. Il s'agit d'être un avec tout.

Tout ego est séparé, toujours. Lorsqu'il n'y a plus de séparation, il n'y a plus d'ego.

«Je suis le monde», disait Krishnamurti. Et Prajnânpad, peut-être plus justement : «Swâmiji va vous dire un secret. Swâmiji ne connaît rien, sauf une chose : il est un avec tout.» Sagesse de l'immanence, mystique de l'unité.

Le silence

La même expérience spirituelle met aussi entre parenthèses le langage, le discours, la raison (le *logos*, comme
on disait en Grèce, le *manas* ou le *mental*, comme on dit
en Orient). Il n'y aurait pas d'unité autrement. Nous ne
sommes séparés de tout que par la pensée – que par nous-
mêmes. Lâchez l'ego, arrêtez de penser : reste le tout.

Aphasie ? Sidération ? Nullement, en tout cas pas au sens
pathologique du terme. La pensée reste possible. La parole
reste possible. Elles ont simplement cessé d'être nécessaires.
Cela fait comme une suspension du monologue intérieur,
de la pensée argumentative ou conceptuelle, du sens (donc
aussi du non-sens ou de l'absurde). Il n'y a plus que le
réel. Il n'y a plus que la sensation (qui en fait partie). C'est
comme si on voyait enfin les choses comme elles sont, sans
masques, sans étiquettes, sans noms. Le plus souvent, il n'en
est rien : nous sommes séparés du réel, presque toujours,
par les mots mêmes qui nous servent à le dire ou à nous
en protéger (interprétation, rationalisation, justification). Et
puis soudain, au détour d'une méditation, d'une sensation
ou d'un acte : la vérité même, mais sans phrases. *Alogos*,
disait Épicure. *Aphasia*, disait Pyrrhon (non l'impossibilité
de la parole, mais sa suspension au moins provisoire). C'est
ce que j'appelle le *silence*, qui est l'absence non de bruits
mais de mots – non de sons, mais de sens. Silence de la mer.
Silence du vent. Silence du sage, même lorsqu'il parle

Inutile de préciser que cette suspension de la raison (de *notre* raison) n'a rien d'irrationnel, pas plus que le «troisième genre de connaissance» qui, chez Spinoza, lui correspond peut-être. Le silence, c'est tout ce qui reste quand on se tait – c'est-à-dire tout. Il laisse la vérité inentamée. Simplement cette vérité «n'a besoin d'aucun signe», comme disait Spinoza, et ne veut rien dire : elle n'est pas à interpréter, mais à connaître ou à contempler; elle n'est pas une représentation mais «l'essence objective des choses» (Spinoza), ce qu'un bouddhiste appellerait leur simple et silencieuse *ainsité*. Cela, dont on parle (le réel), n'est pas un discours. Ni cela, qui est dit (la vérité). Nous n'en sommes séparés que par nos illusions et nos mensonges. Il suffit de se taire, ou plutôt de faire silence en soi (se taire, c'est facile, faire silence, c'est autre chose), pour qu'il n'y ait plus que la vérité, que tout discours suppose, qui les contient tous et qu'aucun ne contient. Vérité du silence : silence de la vérité.

L'éternité

Il y a plus étonnant. Il y a plus fort. Ce qui se donne, dans cette expérience que je dis, c'est aussi, et peut-être surtout, la suspension du temps, ou plutôt de ce que nous prenons habituellement pour lui. Le temps réel, certes, n'en continue pas moins. Le présent continue. La durée continue. Il n'y a même que cela. Car ce que vous constatez alors en vous, c'est comme une mise entre parenthèses du passé et de l'avenir, de la *temporalité,* comme disent les phéno-ménologues, de ce que les stoïciens appelaient l'*aiôn* (la somme indéfinie et incorporelle d'un passé qui n'est plus et d'un avenir qui n'est pas encore, séparés par un instant sans durée), ce que je traduirais volontiers par une belle invention de Jules Laforgue : l'*éternullité.* Cette éternité qui n'est rien, ou presque rien, cette nullité qui n'en finit pas, cette perpétuité qui nous enferme, c'est ce que nous vivons d'habitude : la fuite du temps, comme on dit, l'englou-tissement irréversible et insaisissable de l'avenir (qui n'est pas encore) dans le passé (qui n'est plus). Entre les deux ? L'instant présent, qui est sans durée (s'il avait une durée assignable, il ne serait pas l'instant et ne serait pas présent : une partie serait passée, une autre à venir) et qui n'est rien. Un quasi-néant, donc, entre deux néants : ce temps-là ne cesse ordinairement, comme Montaigne l'a bien vu, de nous séparer de l'être ou de l'éternité. Et puis soudain... Plus de passé ! Plus d'avenir ! Il n'y a plus que le présent, qui reste présent : il n'y a plus que l'éternité.

Conceptuellement, donc rétrospectivement, cela peut se comprendre. Le passé n'est pas, puisqu'il n'est plus. L'avenir n'est pas, puisqu'il n'est pas encore. Il n'y a donc que le présent, qui ne cesse de changer, mais qui continue et reste présent. Qui a jamais vécu un seul *hier* ? Qui a jamais vécu un seul *demain* ? C'est toujours aujourd'hui. C'est toujours maintenant. « Seul le présent existe », disaient à juste titre les stoïciens, si bien que « le temps tout entier est présent ». Mais ce n'est plus le temps-*aiôn* (le temps abstrait, celui qui se divise et se mesure, qui se perd et nous perd), c'est le temps-*chronos* (le temps concret : le présent du monde, le monde même comme présent), ce que Spinoza et Bergson appelleront la durée (la continuation indéfinie et indivisible d'une existence). Essayez un peu de mesurer le présent, ou de le diviser ! Vous n'y arriverez pas. C'est qu'il n'est pas *une* durée. Il est la durée même, pendant qu'elle dure (ce que j'appellerais volontiers, décalquant le latin de Spinoza, la *duration*). Pas un laps de temps : le temps même. Ce temps-là ne vient pas de l'avenir, qui n'est rien, ni ne s'engloutit dans le passé, qui n'est pas. On peut dire de lui, ce n'est pas une coïncidence, ce que Parménide disait de l'être : « Ni il n'était ni il ne sera, puisqu'il est maintenant. » Or, un présent qui reste présent, c'est ce qu'on appelle tradition-nellement l'*éternité* – non un temps infini, qu'il vaut mieux appeler la sempiternité, mais un « éternel présent », comme disait saint Augustin, ce qu'il appelait le « perpétuel aujour-d'hui » de Dieu, à quoi j'opposerais volontiers le perpétuel aujourd'hui du monde (le toujours-présent du réel) et de la vérité (le toujours-présent du vrai), qui ne font qu'un, au présent, et c'est l'éternité même.

Oui, tout cela, après coup, peut se comprendre. Mais c'est qu'on ne le vit plus. Lorsqu'on le vit, ce n'est pas un concept, ni une réflexion, ni une compréhension. C'est une expérience. C'est une évidence. C'est un éblouissement. Le présent est là, et il n'y a rien d'autre. Il ne disparaît jamais : il continue. Il ne cesse de changer ; c'est donc qu'il ne cesse pas. Tout est présent : le présent est tout. Tout est vrai. Tout est éternel, ici et maintenant éternel ! C'est ce qu'avait vu Spinoza, dont j'ai déjà cité l'étonnante formule : «Nous sentons et expérimentons que nous sommes éternels. » C'est ce qu'avait vu Wittgenstein : «Si l'on entend par éternité non la durée infinie mais l'intemporalité, alors il a la vie éternelle celui qui vit dans le présent. » Comment s'étonner que l'idée même de la mort lui devienne indifférente ? Il est déjà sauvé, ou plutôt il n'y a plus personne à sauver : il n'y a plus que l'éternité actuelle ; il n'y a plus que l'éternité en acte. Comme le paradis, à côté, semble dérisoire ! Comment l'éternité pourrait-elle être à venir ? Comment pourrions-nous l'attendre ou l'atteindre, puisque nous y sommes déjà ?

Éternité du présent : présence de l'éternité.

Sérénité

Cela ne laisse rien à espérer, ni à redouter. Suspension de l'espoir et de la crainte, mise entre parenthèses de l'attente, de l'anticipation, du *souci*, comme dit Heidegger, de la «futurité», comme il dit aussi ou comme lui font dire ses traducteurs. Le souci est constitutif du *Dasein* : c'est l'être-en-avant-de-soi de l'ego, qui nous voue, chez Heidegger, à l'être-pour-la-mort. Comment ne serions-nous pas angoissés ? C'est le prix à payer du néant, de la futurité, de l'ego.

Mais si le néant n'est pas ? S'il n'y a pas d'ego ? S'il n'y a que le présent ? Alors il reste la sérénité, qui est l'être-au-présent de la conscience et de tout.

Carpe diem ? Cela relèverait de la sagesse (et d'une sagesse un peu courte!) plutôt que de la spiritualité. *Carpe aeternitatem* serait plus juste – sauf qu'il n'y a rien à cueillir, et tout à contempler.

Cela rejoint le thème fameux du *« Vivre au présent »*, comme disaient les stoïciens, comme disent tous les sages – sauf que ce n'est plus un mot d'ordre ou un idéal, mais la simple vérité de vivre.

Essayez de vivre au passé ou à l'avenir. Vous verrez, par l'impossible, que le présent est la seule voie. Vos souvenirs ? Vos projets ? Vos rêves ? Ils sont présents ou ils ne sont pas. Ainsi le présent n'est pas à choisir (puisque tout choix n'existe qu'en lui) ; il est à habiter.

Ce n'est pas non plus sans rapport avec ce que j'appelais plus haut le *gai désespoir* – sauf que cela n'a rien de désespérant, et que le mot même de «gaieté» est quelque peu superficiel ou anecdotique pour décrire, alors, ce qui se vit. Il s'agit de passer, plutôt, de l'autre côté du désespoir – là où les deux côtés ne font qu'un.

En grec, je l'ai déjà noté, cet état se disait *ataraxia* (l'absence de troubles) ; en latin, *pax* (la paix de l'âme). En français, cela peut se dire *quiétude* ou *sérénité*. Ce n'est pas un hasard s'il y a du quiétisme en toute mystique. Voyez Fénelon ou Tchouang-tseu («sagesse de tendance mystique», notait Marcel Granet, le taoïsme est «une sorte de quiétisme naturaliste»). Rien à voir avec la paresse ou l'inaction, encore moins avec la veulerie! Simplement l'espoir et la crainte vont ensemble (j'ai déjà cité la formule décisive de

Spinoza : «Il n'y a pas d'espoir sans crainte, ni de crainte sans espoir»), donc aussi l'absence de l'une et de l'autre. Mais ce n'est pas une absence : c'est une présence, c'est une attention, c'est une disponibilité. Rien à espérer, rien à craindre : tout est là. C'est ce que l'expérience que j'évoque réalise. Quelle paix ! Quelle quiétude, en effet ! Un désespoir ? Cela peut y ressembler, mais seulement de l'extérieur ou sur le chemin. De l'intérieur, c'est plutôt un *inespoir* : le degré zéro de l'espoir et de la crainte. C'est plutôt un bonheur (Krishnamurti : «Vivre heureux, c'est vivre sans espoir»). Spinoza lui donne son vrai nom : *béatitude*. On n'espère que ce qu'on n'a pas, ou qui n'est pas, ou qui nous manque : on n'espère, sauf exception, que l'avenir – alors qu'on ne vit que le présent. «L'espoir est le principal ennemi de l'homme», disait Prajnânpad ; la sérénité, sa principale victoire. C'est se libérer de la peur, au point, dans cet état que je dis, qu'on n'ait même plus besoin de courage.

On dira que cela condamne la politique. Non pas (voyez Spinoza). Mais cela interdit à la politique de se prendre pour une mystique, comme à la mystique de prétendre tenir lieu de politique. C'est bien ainsi. L'absolu n'est pas un gouvernement. Aucun gouvernement n'est l'absolu. À la gloire de la laïcité.

La sérénité n'est pas l'inaction ; c'est l'action sans peur, donc aussi sans espérance. Pourquoi non ? Ce n'est pas l'espérance qui fait agir, disais-je dans mon premier chapitre ; c'est la volonté. Ce n'est pas l'espérance qui fait vouloir ; c'est le désir ou l'amour. On ne sort pas du réel. On ne sort pas du présent. C'est l'esprit des arts martiaux. Celui qui espère la victoire, il est déjà vaincu (au moins par la peur de la défaite). Seul celui qui n'espère rien est sans crainte. C'est ce qui le rend difficile à vaincre, et impossible à asservir. On peut le priver de la victoire, point de son combat.

L'action fait partie du réel qu'elle transforme, comme la vague de l'Océan. Il ne s'agit pas de renoncer à agir. Il s'agit d'agir sereinement.

L'action n'en sera que plus efficace, et plus heureuse.

C'est ce que j'appelle le bonheur en acte, qui n'est pas autre chose que l'acte même comme bonheur. Celui qui vit au présent et qui ne manque de rien, que pourrait-il espérer ? Que pourrait-il craindre ? Le réel lui suffit (dont son action fait partie) et le comble.

Acceptation

Parce que tout est bien ? Plutôt parce que tout est. C'est le plus difficile à penser. Ce qui se vit, dans cette expérience que j'essaie de décrire, c'est aussi la suspension des jugements de valeur, la mise entre parenthèses des idéaux ou des normes, par exemple du beau et du laid, du bien et du mal, du juste et de l'injuste. Wittgenstein, dans ses *Carnets* davantage peut-être que dans le *Tractatus*, s'en est approché : « Tout ce qui arrive, que ce soit par le fait d'une pierre ou de mon propre corps, n'est ni bon ni mauvais. » Cela n'empêche pas la joie. Cela n'empêche pas le bonheur. Que dis-je ? C'est le bonheur même – tant qu'il est là. Wittgenstein, toujours dans les *Carnets* : « Je suis heureux ou malheureux, c'est tout. On peut dire : il n'y a ni bien ni mal. » Il n'y a plus que le réel, qui est sans autre. À quelle norme ou règle pourrait-on le soumettre ?

Immoralisme ? Nullement. La morale fait partie du réel : cela même, qui lui interdit de valoir absolument, nous interdit de l'abolir. Mais amoralisme théorique (pour la pensée) ou contemplatif (pour la spiritualité), oui, certes ! Spinoza l'a pensé dans sa rigueur : « Le bien et le mal n'existent pas dans la Nature », et rien n'existe au-dehors. C'est pourquoi la réalité et la perfection sont une seule et même chose : non parce que tout serait bien, comme le croient les providentia-listes, mais parce qu'il n'y a ni bien ni mal. Cela n'empêche pas de se construire une éthique (il y a du bon et du mauvais pour nous), ni même de penser une morale (qui est l'abso-lutisation, à la fois illusoire et nécessaire, de l'éthique). Mais cela interdit d'en faire une métaphysique ou une ontologie, autrement dit de projeter sur la nature ce qui n'existe qu'en nous, de prendre nos jugements pour une connaissance, nos idéaux pour le réel, donc aussi, et surtout, le réel pour une faute ou une déchéance (lorsqu'il ne correspond pas à nos idéaux). Le mal n'est rien, explique Deleuze à propos de Spinoza, non du tout « parce que seul le Bien est et fait être », comme le veulent les théologiens, « mais au contraire parce que le bien n'est pas plus que le mal, et que l'être est par-delà le bien et le mal ».

On dira que cela fait un argument de moins contre Dieu (« l'argument du mal »). Pas tout à fait, puisque le mal continue d'exister pour les sujets, et que Dieu est censé en être un... Surtout, cela ôte toute raison de croire. Le réel suffit : pourquoi le soumettre à autre chose? Tout est parfait : plus besoin de consolation, ni d'espérance, ni de jugement dernier (il ne s'agit plus de juger mais de comprendre, et moins de comprendre que de voir). Le réel est à prendre ou à laisser, ou plutôt, dans cette expérience que j'évoque, il est cela même qu'on ne peut que prendre : parce qu'il est à lui-même sa propre prise, qui nous déprend de tout le reste.

C'est ce que Nietzsche, après les stoïciens et en partie contre eux, appelait l'*amor fati* (l'amour du destin, l'amour de ce qui est), non du tout parce qu'il serait bon (le destin, chez Nietzsche, est le contraire d'une providence), mais parce qu'il est l'ensemble de tout ce qui arrive (le monde, le réel), et qu'il n'y a rien d'autre. C'est l'un-sans-second à la mode nietzschéenne : le réel sans double et sans remède de Clément Rosset. Il est à prendre ou à laisser, disais-je. L'ascète est celui qui laisse. Le sage, celui qui prend.

Sagesse tragique, dit Nietzsche : «Affirmation dionysiaque de l'univers tel qu'il est, sans possibilité de soustraction, d'exception ou de choix.» C'est participer à «l'innocence du devenir», à «l'éternel oui de l'être», qui est l'auto-affirmation de tout.

Sagesse de l'acceptation, dit Prajnânpad. «*No denial*» : ni refus ni dénégation. «Pas ce qui devrait être, mais ce qui est» : ni espérance ni regret. C'est la seule voie : «Il n'y a pas d'issue en dehors de l'acceptation». Il s'agit de dire *oui* à tout ce qui est, à tout ce qui arrive. Mais c'est le *oui* de l'acceptation (tout est vrai, tout est réel), non de l'approbation (« tout est bien »). C'est le *oui* de la sagesse, non de la religion. Ou plutôt ce n'est pas un mot, et il n'y a plus ni sagesse ni religion : il n'y a que l'éternelle nécessité du devenir, qui est l'être vrai.

Juger, c'est comparer ; et certes, dans la vie ordinaire, il le faut souvent. C'est le principe de la morale. C'est le principe de la politique. Il ne s'agit évidemment pas de renoncer à l'une ou à l'autre. C'est le principe aussi de l'art, et l'on n'y renoncera pas davantage. Quelle morale sans refus ? Quelle politique sans confrontations ? Quel art sans évaluation, sans critique, sans retouches, sans hiérarchie ? Mais ce qui s'éprouve, dans l'état mystique, c'est autre chose : le sentiment que le réel est très exactement ce qu'il est, sans aucune faute, qu'on ne peut le comparer à rien (puisqu'il est tout), ni donc le juger (puisque tout jugement en fait partie), qu'il est *parfait*, en ce sens, c'est l'expression de Spinoza (« Par réalité et par perfection, j'entends la même chose »), ou *par-delà le bien et le mal*, c'est l'expression de Nietzsche, ou *neutre*, comme dit Prajnânpad, et c'est sans doute l'expression la plus juste. Il faut, pour la comprendre, dire un mot du contexte. Un disciple demande au maître ce que veut dire le fameux « *Tout est Brahman* » des Upanishads. On traduit souvent par « Tout est Dieu », ou « Tout est l'Absolu ». Celui que ses disciples appelaient Svâmiji répond simplement : « Cela veut dire *"Tout est neutre"*. » C'est ce que j'appelle le relativisme, ou plutôt c'est son envers positif : seul le réel est absolu ; tout jugement de valeur est relatif.

C'est le contraire d'une théodicée. Il ne s'agit pas de dire que tout va pour le mieux dans le meilleur des mondes possibles. Il s'agit de comprendre que tout va comme il va dans le seul monde réel, qui est le monde.

C'est le contraire d'un nihilisme. Il ne s'agit pas d'abolir la morale (dire *oui* à tout, c'est dire *oui* aussi à nos jugements de valeur, à nos refus, à nos révoltes, qui font partie de ce tout), mais de constater que la morale n'est qu'humaine, qu'elle est *notre* morale, non celle de l'univers ou de l'absolu. Même chose pour la politique : que l'absolu n'en relève pas (il n'est ni de droite ni de gauche), cela n'implique évidemment pas qu'il l'abolisse. Au contraire ! C'est parce que l'univers ne propose aucune politique (puisqu'il les contient toutes) que nous sommes tenus, nous, d'en choisir une. Cela ne relève pas d'une expérience mystique, et confirme, une nouvelle fois, que la mystique n'est pas tout. Laïcité toujours. Ne comptons pas sur l'absolu pour combattre l'injustice à notre place. Mais pas davantage sur la politique pour tenir lieu de spiritualité.

C'est le contraire d'un esthétisme. Qu'on crée parfois de la beauté, qu'on l'aime presque toujours, fort bien. L'art existe, et l'on ne va pas s'en plaindre ! Mais ce serait se tromper que d'en faire une mystique ou une religion. Le beau peut offrir un accès à l'absolu ; il n'est pas l'absolu même. D'un point de vue spirituel, l'important n'est pas de créer une œuvre, encore moins de faire de sa propre vie une œuvre d'art. Tchouang-tseu, là-dessus, est plus éclairant que nos romantiques : « L'homme parfait est sans moi,

192

l'homme inspiré est sans œuvre, l'homme saint ne laisse pas de nom. » Cela n'ôte rien au génie (sauf ses vanités, lorsqu'il en a), mais le met à sa place. Le beau et le laid, l'admirable et le médiocre sont tout autant prisonniers du relatif que le bien et le mal. Comment l'esthétisme pourrait-il conduire à l'absolu ? L'art y parvient ? Parfois, oui, mais dans la mesure seulement où il cesse de se prendre lui-même pour objet ou pour but, lorsqu'il tend au silence ou le révèle, lorsqu'il manifeste – ce n'est donné qu'aux plus grands – que l'absolu n'est pas un art et importe davantage que toutes les œuvres. Le beau n'est qu'un chemin. Le travail n'est qu'un chemin. Pour aller où ? Là où mènent tous les chemins, qui les contient tous, et qui n'en est pas un. Le beau, disait Schelling, c'est « l'infini représenté de façon finie ». Je dirais aussi bien : l'absolu représenté de façon relative, l'éternité représentée de façon temporelle... L'esprit de Mozart souffle là, c'est ce qui le rend à la fois irremplaçable et bouleversant : parce qu'il laisse entendre, dans l'une des plus belles musiques de tous les temps (on reste, musicalement, dans le domaine du relatif), qu'il y a plus précieux que la musique, plus précieux que la beauté, et qui touche à la fois au silence, à l'éternité et à la paix (ce qui nous ouvre, et presque nous conduit, au domaine de l'absolu).

Le bien et le mal, le beau et le laid, le juste et l'injuste, etc., n'existent que relativement – que pour et par l'humanité. Ils existent donc. Il n'est pas davantage question de les abolir que de les absolutiser. Ni nihilisme, donc, ni esthétisme, moralisme ou « politicisme » (si l'on entend par ces trois derniers mots la volonté d'ériger l'art, la morale ou la politique en absolu). Parce que l'absolu est ailleurs? Au contraire : parce qu'il est là, toujours déjà là, avant toute œuvre, avant tout jugement, avant tout engagement, parce qu'il les précède et les accompagne, les porte et les emporte. Comment la musique ou la poésie pourraient-elles abolir le silence, puisqu'il les enveloppe, puisqu'elles le chantent et le supposent? Comment la politique ou la morale pourraient-elles abolir le réel qui les contient et qu'elles transforment? Un autre monde est possible? Assurément (la seule chose impossible, ce serait que le monde ne change pas), mais qui n'en sera pas moins le monde pour autant, point un rêve de militant ou de moraliste. Seul le réel est réel, qui contient tous les jugements. Comment pourraient-ils le juger absolument?

Relativisme et mysticisme vont ensemble. C'est ce qu'a compris Spinoza; c'est ce que confirme Prajnânpad. Si toute morale est relative, comment l'absolu pourrait-il en avoir une? Si l'absolu est amoral, comment la morale pourrait-elle n'être pas relative? Et même chose, bien sûr, pour le beau ou le juste. L'erreur, où se joue le sort de notre modernité, serait de confondre ce *relativisme*, qui est la vérité de la morale, de l'art et de la politique, avec le *nihilisme*, qui est leur négation. Toute valeur étant relative (au sujet, à l'histoire, à la société...), on peut dire, si l'on veut, que l'absolu n'a aucune valeur. Mais on ne le dit que tant qu'on ne l'habite pas. Car cet absolu, pour qui l'éprouve, est le contraire d'un néant : il est l'être même, qui nous comble et nous réjouit (que nous aimons, dirait Spinoza : « l'amour est une joie qu'accompagne l'idée d'une cause extérieure »). Nos valeurs n'existent qu'en lui. Elles existent donc. Il s'agit non de les nier, encore moins de les renverser (c'est où Spinoza s'oppose à Nietzsche, et c'est bien sûr Spinoza qu'il faut suivre), mais de dire *oui* à tout (y compris donc à nos jugements, mais en tant que relatifs), et c'est ce que j'appelle l'*acceptation*.

Rien à voir avec l'optimisme, encore moins avec la dénégation ou la résignation. Etty Hillesum, quelques jours avant de partir pour Auschwitz, d'où elle ne reviendra pas, a trouvé les mots justes ·

> « On me dit parfois : "Oui, tu vois toujours le bon côté de tout". Quelle platitude ! Tout est parfaitement bon. Et en même temps parfaitement mauvais. [...] Je n'ai jamais eu l'impression de devoir me forcer à voir le bon côté des choses : tout est toujours parfaitement bon, tel quel. Toute situation, si déplorable soit-elle, est un absolu et réunit en soi le bon et le mauvais. Je veux dire simplement que "voir le bon côté des choses" me paraît une expression répugnante, de même que "tirer le meilleur parti de tout". »

Cela ne l'empêcha pas de souffrir, ni de mourir. Mais sa souffrance et sa mort ne sauraient non plus annuler cela, qu'elle a vécu, qu'elle appelle « acceptation », « acquiescement » ou « compréhension », et qui ressemble à de l'amour.

Indépendance

Acceptation et libération vont ensemble, comme la liberté et la nécessité. C'est l'esprit du stoïcisme. C'est l'esprit du spinozisme. C'est l'esprit de la psychanalyse, quand elle a de l'esprit. C'est l'esprit de Prajnânpad (qui a contribué à introduire le freudisme en Inde). Le réel commande, puisqu'il n'y a rien d'autre. La pensée ? Elle est le réel même (la vérité), ou elle n'est qu'une illusion (qui fait partie du réel : elle est vraiment illusoire). Elle est tout, ou elle n'est qu'un rêve de l'ego (qui fait partie du tout : il est vraiment égocentré). L'erreur ? Elle est vraiment fausse. Le mensonge ? Il est vraiment mensonger. Ainsi tout est vrai. Mais cette vérité nous contient ; nous ne la contenons pas (nous ne contenons, dans le meilleur des cas, que des connaissances). Cela met les idées à distance. Au reste, quelles idées, quand il n'y a plus de mots ? Le silence mène a l'acceptation, qui mène à la libération. Suspension des conditionnements, des bonnes mœurs, des bonnes manières, de la politesse même. Mise entre parenthèses des dogmes, des règles, des commandements, des Églises, des partis, des opinions, des doctrines, des idéologies, des gourous... Il n'y a plus que le réel. Il n'y a plus que la vérité Comme on se sent libre, soudain ! « La vérité vous libérera », lit-on dans l'Évangile de Jean. C'est ce qu'on vit alors, sauf que ce n'est plus au futur mais au présent, plus un livre mais le monde. La vérité n'obéit à personne. C'est en quoi elle est libre, et libératrice. Et comme il n'y a rien d'autre que la vérité, elle ne commande pas (à qui pourrait-elle commander ? et quoi ?). Nous voilà sans Dieu ni Maître. C'est ce que j'appelle l'*indépendance*, dont Svâmiji disait qu'elle est le vrai nom de la spiritualité.

Rien à voir avec un quelconque libre arbitre. Si tout est réel, tout est nécessaire. Comment pourrait-on, au présent, être autre chose que ce qu'on est, vouloir autre chose que ce qu'on veut, agir autrement qu'on agit ? Cette liberté-là, montrent Spinoza ou Freud, n'est que l'ignorance des causes qui pèsent sur nous, laquelle nous interdit de les affronter.

Mais rien à voir non plus avec je ne sais quel fatalisme. Seul le présent existe. Comment serions-nous prisonniers du passé, puisqu'il n'est plus ? Comment l'avenir serait-il déjà écrit, puisqu'il n'est pas ? Rien n'est écrit qu'en nous. C'est ce que Prajnânpad, avec Freud, appelle l'inconscient, qui est la présence en nous du passé : « Il n'y a pas d'autre esclavage dans la vie que celui du passé [il faut entendre : en tant qu'il est présent dans l'inconscient]. Celui qui est libre du passé est libéré. Pourquoi ? Parce que seul le passé est cause du futur. » Ainsi la liberté et l'éternité vont ensemble.

Ni libre arbitre ni fatalisme : rien n'est contingent, rien n'est écrit. Il n'y a que l'histoire, aussi bien individuelle que collective. Il n'y a que le réel en acte, dont mon action fait partie. Il ne s'agit pas d'être autre que ce qu'on est ; il s'agit de l'être en vérité, et la vérité n'a pas d'ego. C'est en quoi, à nouveau, elle est libre : parce qu'elle est universelle (elle ouvre, et elle seule, la petite prison du moi).

« Qu'est-ce que la perfection ? », demande Prajnânpad. Il

répond simplement : « Pas de dépendance. » C'est se libérer de son enfance, de son inconscient, de ses parents (« Être libre, disait encore Svâmiji, c'est être libre du père et de la mère, rien d'autre »), de son milieu : c'est se libérer de soi. Qu'est-ce qui reste ? Tout. Il s'agit, non de guérir l'ego, mais d'en guérir – non de sauver le moi, mais de s'en affranchir.

Tout ego est dépendant, toujours. Lorsqu'il n'y a plus de dépendance, il n'y a plus d'ego.

Philosopher, c'est apprendre à se déprendre : on ne naît pas libre ; on le devient, et l'on n'en a jamais fini. Mais, dans cette expérience que je dis, la liberté semble soudain réalisée, comme éternellement disponible. C'est peut-être que nul n'est prisonnier que de soi, de ses habitudes, de ses frustrations, de ses rôles, de ses refus, de son mental, de son idéologie, de son passé, de ses peurs, de ses espérances, de ses jugements... Lorsque tout cela disparaît, il n'y a plus de prison, ni de prisonnier : il n'y a plus que la vérité, qui est sans sujet et sans maître.

La mort et l'éternité

Voilà ce qu'il m'est arrivé de vivre, de ressentir, d'expérimenter, que l'athéisme n'empêche en rien, bien au contraire, et que j'essaie de dire au plus juste et de comprendre à peu près. Oui, il m'est arrivé, parfois, exceptionnellement, d'être vivant, simplement, d'habiter directement le réel, de le voir face à face, ou plutôt de l'intérieur (non « en soi », ce qui n'a pas de sens, mais sans autre médiation que mon corps, qui en fait partie et ne saurait être un intermédiaire), tel qu'il est ou tel qu'il paraît (la différence, alors, était sans objet : l'apparence fait partie du réel), d'être un avec lui, sans dualité, sans problème, sans solution, sans interprétation, d'être libéré à la fois des questions et des réponses, de ne manquer de rien, de n'être plus séparé de moi-même ni de tout, d'être silencieux dans le silence, passant dans le passage (présent dans le présent, changeant dans le devenir, éternel dans l'éternité !), de n'avoir peur de rien, de n'espérer rien, de dire oui à tout (ou plutôt de n'avoir plus à le dire : j'étais ce oui), de ne plus dépendre de rien, sauf de l'univers, et d'être libre, si nécessairement et si parfaitement libre que la question du libre arbitre ne se posait plus.

C'est mon chemin, du moins c'en furent quelques-unes des étapes ou des cimes, mais qui ressemblent trop à ce que d'autres ont vécu et décrit pour ne dépendre que de ma petite personne. C'est pourquoi j'ose en parler, malgré l'intimité du propos, et tant pis pour ceux, il y en aura sans doute, que cela fera sourire. Disons, pour résumer, que j'ai *senti et expérimenté*, moi aussi (rarement, mais assez fort pour que ce soit inoubliable), des moments de mystère, d'évidence, de plénitude, de simplicité, d'unité, de silence, d'éternité, de sérénité, d'acceptation, d'indépendance... Du moins c'est ainsi que je les distingue et que je les nomme, puisqu'il le faut bien, rétrospectivement. Mais alors, ce n'était pas des mots, j'y insiste : c'était une expérience, et elle était indivisible (la plénitude, la simplicité, le silence, l'éternité, etc. :

tout cela ne faisait qu'un), c'était une sensation, ou plusieurs (mais inséparables), c'était une conscience, mais sans mots et sans sujet, c'était le réel même que je vivais, dont je faisais partie ; c'était ma vie enfin rendue à elle-même et à tout.

Je n'ai jamais rien vécu de meilleur, je l'ai déjà dit, ni de plus simple, ni de plus fort, ni de plus bouleversant. Cela faisait comme une joie qui n'aurait jamais commencé (c'est ce que Spinoza appelle la *béatitude*, laquelle, étant éternelle, ne peut être dite commencer que « fictivement »), comme une paix qui n'aurait pas de fin. Je n'en mourrai pas moins, mais cela, alors, n'avait aucune importance (« Pour la vie dans le présent, écrit Wittgenstein, il n'est pas de mort »), et ce souvenir m'aide, aujourd'hui, à l'accepter. La mort ne me prendra que l'avenir et le passé, qui ne sont pas. Le présent et l'éternité (le présent, *donc* l'éternité) sont pour elle hors d'atteinte. Elle ne me prendra que moi-même. C'est pourquoi elle me prendra tout et ne me prendra rien. Toute vérité est éternelle, montre Spinoza. La mort ne m'ôtera que mes illusions.

Mystique et athéisme

Ce type d'expérience ne prouve évidemment rien (toute preuve est relative : l'absolu, par définition, est sans preuve), et ne dit rien non plus sur l'existence de Dieu, ni sur son inexistence. La question, dans ces moments que j'ai vécus, ne se posait plus. D'autres, je le sais bien, ont vécu tout autre chose : une rencontre, une extase, un amour... À eux d'en parler, s'ils le veulent, s'ils le peuvent. Il reste que ce n'est sans doute pas un hasard si les mystiques ont si souvent eu maille à partir avec leur Église, lorsqu'ils en avaient une. Al Halladj brûlé vif, Maître Eckhart ou Fénelon condamnés par le pape... Il y a là davantage que des malentendus. C'est ce qu'aide à comprendre un jésuite français, le Père de Lubac, dans sa préface à un gros volume collectif sur *La Mystique et les mystiques*. Le mystique, explique-t-il, est le contraire d'un prophète : « Le prophète reçoit et transmet la parole de Dieu, à laquelle il adhère par la foi ; le mystique est sensible à une lumière intérieure qui le dispense de croire. Entre les deux, il faut choisir. » C'est que « la mystique ronge le mythe, comme dit encore le P. de Lubac : au bout du compte, le mystique s'en passe ; il le rejette comme une coquille vide, tout en demeurant indulgent pour ceux qui en ont encore besoin ». Quelle Église pourrait l'accepter ? Quelle religion révélée ? Et de citer Emil Brunner : « Ou l'Évangile, ou la contemplation – ou la mystique, ou la Parole. » J'ajouterais volontiers : ou le silence, ou le Verbe. Ou l'expérience, ou la foi. Ou la méditation, ou la prière.

Loin d'être paradoxale, l'idée d'un « mysticisme athée » ou d'un « athéisme mystique », comme dit le P. de Lubac, devient alors une espèce d'évidence, qui s'impose à la pensée et que confirme d'ailleurs l'observation historique (en Orient, il est vrai, plus souvent qu'en Occident). « En son dernier état de réalisation, continue notre jésuite, le mysticisme naturel, devenu naturaliste, serait un "mysticisme pur"; à la limite, ne se reconnaissant plus aucun objet [je dirais plutôt : aucun objet transcendant], il serait l'intuition mystique en quelque sorte hypostasiée : ce qui nous paraît être la forme la plus profonde de l'athéisme. » Pourquoi non ? Leibniz, dans une lettre de 1695, remarquait déjà qu'on trouve chez les mystiques des « passages extrêmement hardis [...], inclinant presque à l'athéisme ». Kojève, plus radical, ira jusqu'à affirmer, dans son *Essai d'une histoire raisonnée de la philosophie païenne*, que « toute Mystique authentique est en fait plus ou moins athée ». La formule, quoique outrancière, dit quelque chose d'important, qui nous ramène au début de ce chapitre : que religion et spiritualité sont deux choses différentes. Même l'expérience mystique, où elles peuvent culminer l'une et l'autre, interdit de les confondre.

On connaît le mot de Nietzsche : « Je suis mystique, et je ne crois en rien. » C'est moins contradictoire qu'il n'y paraît. Le mystique se reconnaît à un certain type d'expérience, fait d'évidence, de plénitude, de simplicité, d'éternité... Cela ne laisse guère de place aux croyances.

Il voit. Qu'a-t-il besoin de dogmes ?

Tout est là. Qu'a-t-il besoin d'espérer ?

Il habite l'éternité. Qu'a-t-il besoin de l'attendre ?

Il est déjà sauvé. Qu'a-t-il besoin d'une religion ?

Le mystique, croyant ou non, c'est celui à qui Dieu même a cessé de manquer. Mais un Dieu qui ne manque pas, est-ce encore un Dieu ?

L'absolu et le relatif

À chacun d'en juger. Ce dont je puis témoigner, pour ma part, c'est qu'être athée n'empêche pas de se servir de son esprit, ni d'en jouir, ni de s'en réjouir, fût-ce en ce point extrême où il culmine, silencieusement, en s'abolissant.

Quand Dieu a cessé de manquer, que reste-t-il ? La plénitude de ce qui est, qui n'est pas un Dieu, ni un sujet.

Quand le passé et l'avenir ont cessé de nous séparer du présent, que reste-t-il ? L'éternité : le perpétuel *maintenant* du réel et du vrai.

Quand l'*ego* ou le mental ont cessé de nous séparer du réel, que reste-t-il ? L'unité silencieuse de tout.

Dieu, disais-je en commençant, c'est l'absolu en acte et en personne. Je n'ai rien à reprocher, cela va de soi, à ceux qui y croient. Mais ce que j'ai éprouvé, en ces moments-là, c'est tout autre chose, qui m'a ôté, alors, jusqu'à la nostalgie de Dieu. Il serait le tout Autre (la transcendance) ; j'habitais le Tout même (l'immanence). Il serait un Sujet ; il n'y avait plus de *sujet* du tout. Il serait le Verbe ; il n'y avait plus que le silence. Il serait un Juge et un Sauveur ; il n'y avait plus personne à juger, ni à sauver.

Nous ne sommes séparés de l'absolu ou de l'éternité que par nous-mêmes, voilà ce que je crois, ce que j'ai senti ou expérimenté, parfois (quand l'ego n'est plus là, il reste la conscience, il reste le corps : cela suffit largement pour une expérience, ou plutôt c'est l'expérience vraie), ce que je me suis efforcé de comprendre, en philosophe, et qui me réjouit, même après coup, et qui m'apaise au moins en partie.

Ce n'est pas une consolation : l'ego reste inconsolable, tant qu'il est là, et il n'y a plus personne, lorsqu'il n'y est plus, pour être consolé. Mais c'est une douceur, mais c'est une paix, comme le souvenir d'un bonheur éternel – tant qu'il dure –, comme l'annonce d'un salut déjà réalisé, malgré l'angoisse et la fatigue, malgré la souffrance ou l'horreur. L'Enfer et le Royaume sont un, et c'est le monde. Mais il n'est d'Enfer que pour l'ego, et de Royaume que pour l'esprit.

Formidable formule de Nâgârjuna, la plus décisive, à mes yeux, de toute l'histoire de la spiritualité : « *Tant que tu fais une différence entre le samsâra et le nirvâna, tu es dans le samsâra.* » Tant que tu fais une différence entre ta vie telle qu'elle est – décevante, fatigante, angoissante – et le salut, tu es dans ta vie telle qu'elle est. Tant que tu fais une différence entre l'éternité et le temps, tu es dans le temps. Tant que tu fais une différence entre l'absolu et le relatif, tu es dans le relatif.

Et quand tu ne fais plus cette différence, ou plutôt quand elle cesse de te faire ? Alors Dieu a cessé de te manquer, comme l'ego de t'encombrer. Rien ne manque : tout est là, tout est vrai, tout est éternel, tout est absolu (Prajnânpad : « Voir le relatif comme relatif, c'est être dans l'absolu »), et plus rien – fût-ce toi-même – ne t'en sépare.

Il n'y a plus que tout, et peu importent les noms qu'on lui donne ou qu'on lui prête : il n'y a plus que l'illimité (Anaximandre), le devenir (Héraclite), l'être (Parménide),

le Tao (Lao-tseu), la nature (Lucrèce, Spinoza), le monde
(« l'ensemble de tout ce qui arrive » : Wittgenstein), le réel
« sans sujet ni fin » (Althusser), « l'un-sans-second » (Prajnânpad), le présent ou le silence (Krishnamurti) – l'absolu en
acte et sans personne.

Une spiritualité pour tous les jours

Cette expérience, pour la plupart d'entre nous, reste
exceptionnelle. Plusieurs, semble-t-il, ne l'ont jamais vécue ;
d'autres, dont je suis, ne l'ont vécue que quelques fois seulement... Trop peu pour faire une spiritualité ? Sans doute.
Assez pourtant pour en donner l'idée et le goût, pour l'éclai-
rer, pour la guider, pour lui servir de but, tant qu'il en faut
un, ou de critère. C'est comme un point de fuite, dans un
tableau en perspective : le point non figuré et non signifiant
par quoi l'ensemble s'organise et prend sens. L'absolu (ou
l'éternité, ou le silence...) est ce point, tant qu'on ne l'a
pas atteint ; le relatif, le tableau. Ce n'est toutefois qu'une
métaphore : les deux, dans le réel, ne font qu'un. C'est cette
unité que l'expérience mystique, parfois, semble atteindre ;
et que la spiritualité, les autres jours, se contente de viser.
Ce n'est pas rien, ou plutôt c'est déjà beaucoup. Il est rare
et merveilleux de vivre ensemble le mystère et l'évidence, la
plénitude et la simplicité, l'unité et l'éternité, le silence et la
sérénité, l'acceptation et l'indépendance... C'est le sommet
de vivre, qu'on n'atteint qu'exceptionnellement. Pas ques-

tion de s'y installer comme dans un fauteuil, de le gérer comme une ressource ou un capital. Mais qui, ne serait-ce qu'une fois, y accède, il réalise dans le même instant qu'il ne l'a jamais quitté, qu'il ne le quittera jamais : que l'absolu et le relatif, le salut et la quête, le but et le cheminement sont un – que le sommet de vivre n'est pas autre chose que la vie elle-même, dans sa vérité ou (cela revient au même) son éternité. Spinoza indépassable ici, du moins en Occident. « La béatitude n'est pas le prix de la vertu, écrivait-il, mais la vertu elle-même. » Cette vertu n'est pas un devoir mais une libération, pas un idéal mais une plénitude, pas une ascèse mais un bonheur. C'est la vie en acte et en vérité.

Les Orientaux l'ont souvent exprimé plus simplement, par exemple dans ce haïku bien connu :

Je coupe du bois
Je tire de l'eau
C'est merveilleux.

On n'habite qu'exceptionnellement l'éternité, ou plutôt on n'a qu'exceptionnellement conscience de l'habiter. Mais lequel d'entre nous n'a jamais ses moments d'attention, de plénitude au moins partielle, de paix, de simplicité, de fraîcheur, de légèreté, de vérité, de sérénité, de présence, d'acceptation, de liberté ? C'est le chemin où nous sommes (le chemin de la spiritualité : l'esprit même comme chemin), sur lequel il s'agit d'avancer.

Ceux qui sont allés au bout, ne serait-ce qu'une fois, savent qu'il ne mène nulle part que là, exactement, où nous sommes déjà : que l'absolu n'est pas le but du chemin (ou qu'il ne l'est que tant qu'on ne l'a pas atteint), mais le chemin lui-même.

Cela ne les empêche pas, dans la vie quotidienne, de continuer à avancer comme ils peuvent, sur le même chemin que tous les autres. La spiritualité est ce cheminement, mais *sub specie temporis*, comme dirait Spinoza (du point de vue du temps). Ce que l'expérience mystique habite, l'espace d'un instant, c'est le chemin lui-même, mais *sub specie aeternitatis* (du point de vue de l'éternité). Spiritualité de la vie quotidienne ; mystique de l'éternité.

« On ne peut commander le vent, rappelle Krishnamurti, mais on doit laisser la fenêtre ouverte. » L'absolu est le vent ; l'esprit, la fenêtre.

Intériorité et transcendance,
Immanence et ouverture

On peut distinguer, quitte à simplifier beaucoup, deux façons principales de penser la spiritualité religieuse : comme intériorité, c'est l'esprit des chapelles romanes, ou comme verticalité, c'est l'esprit des cathédrales gothiques. Les deux, bien sûr, ne sont pas incompatibles : leur dualité structure la religion, de l'intérieur, et lui donne une partie de sa force. « Dieu plus intime en moi que moi-même », disait saint Augustin, et plus haut pourtant que le ciel...

Cela me parle de moins en moins. Je me méfie aujourd'hui de cette hauteur, qui écrase tout, mais aussi de cette intériorité, de cette intimité, et de ce « moi-même ». Je crois davantage aux spiritualités qui nous ouvrent au monde, aux autres, à tout. Il ne s'agit pas de sauver le moi, j'y insiste, mais de s'en libérer. Non de s'enfermer dans son âme, mais d'habiter l'univers. C'est l'esprit du Bouddha (pas de Soi : ni atman ni Brahman). C'est l'esprit de Spinoza (pas d'autre liberté en moi que la vérité, qui est tout). C'est l'esprit tout court. Ouvrez les fenêtres ! Ouvrez l'ego (jusqu'à ce qu'il devienne comme « un cercle devenu si large qu'il ne peut plus rien entourer, disait Prajnânpad, un cercle d'un rayon infini : une ligne droite ! »). L'esprit est cette ouverture (oui : « ouvert dans l'Ouvert », comme dirait Rilke), pas le repliement douillet ou étriqué dans la vie « intérieure ».

Comment pourrais-je contenir l'absolu ? C'est lui qui me contient : je n'y accède qu'en sortant de moi-même.

Au fond, c'est ce que les phénoménologues appellent l'intentionnalité. « Toute conscience est conscience de quelque chose », disait Husserl, si bien, commentait Sartre, que « la conscience n'a pas de "dedans" ; elle n'est rien que le dehors d'elle-même. » C'est le contraire de ce que Sartre appelle « la philosophie digestive », celle de l'intériorité, celle des spiritualistes, qui ne rencontrent partout « qu'un brouillard mou et si distingué : eux-mêmes ». Et d'ajouter, je cite en désordre : « Nous voilà délivrés de la "vie intérieure", des volets clos, des moites intimités de la vie gastrique comme des dorlotements de notre intimité, puisque finalement tout est dehors, tout, jusqu'à nous-mêmes : dehors, dans le monde, parmi les autres. »

Alain, sans parler d'intentionnalité, sans avoir lu Husserl, du moins à l'époque, allait, bien avant Sartre, dans le même sens. Par exemple dans cette admirable œuvre de jeunesse, restée longtemps inédite, que sont ses *Cahiers de Lorient* : « La pensée ne doit pas avoir d'autre chez-soi que tout l'univers ; c'est là seulement qu'elle est libre et vraie. Hors de soi ! Au-dehors ! Le salut est dans la vérité et dans l'être. » C'est dire assez qu'il n'est pas en moi. La spiritualité est le contraire de l'introspection. On ne va pas passer sa vie à contempler son nombril, son inconscient ou son âme ! Il n'y a pas de vie intérieure, explique Alain, ou elle est mauvaise. Pas de monde intérieur, sinon pour la tristesse et l'ennui :

> « Le triste monde que ce monde-là. La triste chose qu'un moi requis de loger l'être · formidable garnison. Comment voulez-vous que je loge tout cela ? Il en vient encore. La maison s'emplit ; l'armée des douleurs est inépuisable. Entassement, puanteur, nausée. Ouvrons la fenêtre. Nouvelles misères : il en entre aussi par là. Il faut, vois-tu, que la fenêtre dévore la maison : il n'y a que l'univers dans quoi l'univers tienne. Assez, j'en ai assez de mon rêve ; je veux marcher dans le rêve de Dieu ! »

Mais il n'y a pas de Dieu . il n'y a qu'un rêve sans rêveur, ou qui les contient tous, et c'est le monde, auquel on n'accède qu'à la condition de s'éveiller.

Éveil : libération. C'est la même chose. C'est accéder à l'universel ou au vrai (au vrai, donc à l'universel) en se libérant de soi · « Pour les éveillés, disait Héraclite, il n'est

209

qu'un seul monde, qui leur est commun ; les endormis ont chacun leur monde propre, où ils ne cessent de se retourner », comme dans un lit ou un rêve dont ils seraient prisonniers. Le moi est ce rêve. La vérité, cet éveil.

La vie spirituelle, c'est la vie de l'esprit, disais-je en commençant ce chapitre. Il faut ajouter : mais dans la mesure seulement où l'on parvient à se libérer – au moins un peu, au moins parfois – du « cher petit moi », comme disait Kant, de ses petites frayeurs, de ses petites rancœurs, de ses petits intérêts, de ses petites angoisses, de ses petits soucis, de ses petites frustrations, de ses petites espérances, de ses petites complaisances, de ses petites vanités... « Mourir à soi-même » ? C'est une expression qu'on trouve chez plusieurs mystiques, notamment chrétiens, mais qui accorde souvent trop (par exemple chez Simone Weil) à la pulsion de mort. Je dirais plutôt qu'il s'agit de vivre davantage – de vivre enfin, au lieu d'espérer vivre –, et pour cela de sortir de soi, le plus qu'on peut. Non pas mourir à soi-même, donc, mais s'ouvrir à la vie, au réel, à tout. Quoi de plus ennuyeux que le moi ? Quoi de plus limité ? Quoi de plus vain ? Le réel est tellement plus intéressant, tellement plus vaste, tellement plus varié ! Le monde entier est là, qui se donne à connaître, à transformer, à aimer. L'humanité en fait partie, qui se donne à servir, à respecter, à continuer. Le sage n'en demande pas davantage : il se contente, modestement, de tout.

Il n'y a pas de sages. Mais nous avons tous nos moments

de sagesse, comme nos moments de folie, d'égoïsme, de petitesse. La vérité seule mène à ceux-là, comme elle libère de ceux-ci, et d'autant plus qu'elle est plus simple. Elle n'a pas d'ego. Comment serait-elle égoïste? Comment l'ego serait-il vrai? Connaître le moi, c'est le dissoudre. Les leçons des sciences humaines et du structuralisme (Claude Lévi-Strauss l'a bien montré) rejoignent ici celles, immémoriales, des écoles de sagesse. La vérité du sujet n'est pas un sujet Comment un sujet serait-il la vérité? Le sage est sans ego. Comment l'ego serait-il sage?

Le moi n'est rien que l'ensemble des illusions qu'il se fait sur lui-même. Encore peut-on en sortir (par la connaissance, par l'action), et c'est ce qu'on appelle l'esprit. «Le sage se connaît lui-même», écrit Lao-Tseu. Aussi sait-il qu'il n'est pas sage. Toute vérité est universelle. Comment m'appartiendrait-elle en propre? L'univers me contient. Comment pourrais-je, même en pensée, le contenir?

La vérité est trop grande pour moi – ou le moi, plutôt, trop petit pour elle. Cette petitesse, c'est ce que j'appelle l'ego. Cette grandeur, c'est ce que j'appelle l'esprit. C'est donc l'ego qui est esclave, et qui enferme; et l'esprit qui est libre, ou qui libère.

Misère de l'homme, grandeur de l'homme, disait Pascal... Misère du moi, dirais-je, grandeur de l'esprit. Pas besoin, pour l'expliquer, de croire en Dieu ou au péché originel! La nature suffit, dont la culture fait partie. La vérité suffit (qui contient le moi, que le moi ne contient pas). *Tout* suffit – puisqu'il n'y a rien d'autre.

Spiritualité de l'immanence plutôt que de la transcendance, et de l'ouverture plutôt que de l'intériorité.

J'adore les chapelles romanes. J'admire les églises gothiques. Mais l'humanité, qui les a construites, et le monde, qui les contient, m'en apprennent davantage.

Conclusion

L'amour, la vérité

C'est peut-être, s'agissant de Dieu, la première idée personnelle que j'ai eue – un peu niaise, comme il convient pour une première idée, mais qui m'accompagnera long-temps. J'avais quinze ou seize ans. Jour de pluie. Jour de cafard. Ce doit être un dimanche. Je suis seul dans ma chambre, au deuxième étage, debout près de la fenêtre, le front collé contre la vitre. Je regarde la pluie tomber sur le jardin, sur les toits environnants, sur la banlieue... Vanité de tout. Lassitude de tout. Mais je n'avais pas encore lu l'Ecclésiaste. Je me dis simplement à moi-même ceci, qui me frappa assez pour que je l'écrive presque aussitôt dans le cahier qui me servait de journal intime ou spirituel : « De deux choses l'une. Ou bien Dieu existe, et rien alors n'a d'importance. Ou bien Dieu n'existe pas, et rien alors n'a d'importance. »

Cela ne laissait guère d'issue. C'est la logique de l'absolu, tant qu'on l'oppose au relatif : tout ce qui n'est pas Dieu est néant ou moindre être. Le monde est comme une caverne, disait Platon, où l'on ne poursuit que des ombres. Et Pascal,

213

magnifiquement : « Car la vie est un songe, un peu moins inconstant. » Logique de la transcendance. Logique de la religion, avec sa noblesse, avec sa grandeur, mais qui peut mener, parfois, au fanatisme. Que pèse une vie d'homme, sur la balance de l'absolu ?

Ce n'était guère mon tempérament, ni le climat de l'époque. J'étais davantage attiré par l'autre pente, ou plutôt par là même, mais vers le bas. Logique de l'immanence, logique du désespoir, logique du nihilisme, tel que Nietzsche l'a bien analysé : à force de concentrer toute valeur et toute réalité en Dieu, on ne trouve plus, lorsque la foi se retire, qu'un monde vide et vain, sans valeur, sans saveur, sans importance... « Que signifie le nihilisme ? Que les valeurs supérieures se déprécient, répond Nietzsche ; les fins manquent ; il n'est plus de réponse à cette question : "À quoi bon ?" » C'est le jusant de vivre : le cœur et l'esprit à marée basse. Il me faudra des années pour en sortir, pour retrouver – ou plutôt pour apprendre – le goût du réel, du plaisir, de l'action, pour transformer (au moins intellectuellement) le désespoir en bonheur et l'immanence en sagesse.

Je n'ai pas philosophé en vain. Repensant à cette triste formule de mon adolescence, je dirais aujourd'hui plus volontiers l'inverse : « Ou bien Dieu existe, et tout alors est important ; ou bien Dieu n'existe pas, et tout alors est important... » Ce serait aller trop loin pourtant, ou plutôt masquer l'essentiel : qu'il n'y a pas d'importance en soi, mais seulement par l'attention qu'on lui porte ou l'amour qui la vise. C'est le principe de ce que j'appelais plus haut le relativisme. «Ce n'est pas parce qu'une chose est bonne que nous la désirons, explique en substance Spinoza, c'est inversement parce que nous la désirons que nous la jugeons bonne.» Tel est aussi, me semble-t-il, l'esprit de la charité : ce n'est pas la valeur de son objet qui justifie l'amour, c'est l'amour qui donne de la valeur à ce qu'il aime.

Aussi n'est-il de valeur que relative – qu'à proportion de l'amour que nous lui portons. C'est où le relativisme, l'athéisme et la fidélité peuvent se rejoindre : l'amour est la valeur suprême, puisqu'il n'est de valeur que par lui (fidélité), sans que j'y voie pourtant l'absolu (puisqu'il ne vaut que pour qui l'aime : relativisme) ni donc un Dieu (athéisme).

Cela m'éloigne des nihilistes au moins autant que des croyants. L'absolu, à ce que je crois, n'est pas Dieu, ni ne nous aime. Ce n'est pas une raison pour cesser de l'habiter, fût-ce relativement, ni pour renoncer à aimer.

Citons une dernière fois Pascal. «La vérité hors de la charité n'est pas Dieu», disait-il. J'en suis d'accord. C'est ce qui nous sépare et qui nous rapproche. Croire en Dieu, c'est croire en une vérité infiniment aimante, et pour cela infiniment aimable. Être athée, c'est au contraire penser que la vérité ne nous aime pas, ni ne s'aime elle-même. C'est ce que j'ai appelé le désespoir. Mais où avez-vous vu qu'il faudrait n'aimer qu'en retour (qu'à la condition d'être aimé)? Pas, en tout cas, dans les Évangiles... C'est la vérité du Calvaire. L'amour, même crucifié, vaut mieux qu'une haine triomphante.

Cela, c'est ce qui nous unit : espace de communion et de fidélité. La métaphysique ou la religion nous séparent, et cela doit être aussi accepté. «Mon Dieu, mon Dieu, pourquoi m'as-tu abandonné?» Parce qu'il n'existe pas, répond l'athée : parce que la vérité n'est pas Dieu, puisqu'elle ne nous aime pas, parce que l'amour n'est pas tout-puissant, puisqu'il n'est d'amour qu'incarné et mortel... C'est ce qu'on peut appeler le tragique ou la finitude, qui font partie de la condition humaine, spécialement pour les athées, mais qui n'en constituent qu'un moment. L'essentiel est ailleurs : dans l'amour (donc la joie) et la vérité (donc l'universel) dont nous sommes capables. C'est la seule sagesse. C'est le seul chemin. Qu'est-ce que la spiritualité? C'est notre rapport fini à l'infini ou à l'immensité, notre expérience temporelle de l'éternité, notre accès relatif à l'absolu. Que la joie soit au rendez-vous, c'est sur quoi tous les témoignages concordent, et qui donne raison – de l'autre côté du désespoir – à l'amour. «Aimer, disait Aristote, c'est se réjouir.» Et Spinoza : «L'amour est une joie qu'accompagne l'idée d'une cause extérieure.» Que la vérité soit sans amour, cela ne condamne pas l'amour à être sans vérité (puisqu'il est vrai que nous aimons) ni ne nous empêche d'aimer la vérité. La joie de connaître (éphémère comme toute joie, éternelle comme toute vérité) est l'unique accès, mais ici et maintenant, au salut, à la sagesse, à la béatitude. C'est l'amour vrai du vrai.

Tout se condense ici, mais sans se confondre.

Fidélité au vrai : rationalisme (refus de la sophistique).

Fidélité à l'amour : humanisme (refus du nihilisme).

Fidélité à leur séparation : athéisme.

Ce n'est pas la vérité qui est amour (si la vérité s'aimait soi, elle serait Dieu) ; c'est l'amour, parfois, qui est vrai (il n'est absolu qu'autant que nous aimons en vérité). C'est la Pentecôte des athées, ou le véritable esprit de l'athéisme : non l'Esprit qui descend, mais l'esprit qui s'ouvre (au monde, aux autres, à l'éternité disponible) et qui se réjouit. Ce n'est pas l'absolu qui est amour ; c'est l'amour, parfois, qui nous ouvre à l'absolu.

Par quoi l'éthique mène à la spiritualité, mais sans y suffire, comme la spiritualité mène à l'éthique, mais sans en tenir lieu.

C'est où les sages et les saints se rejoignent, peut-être, en ce point où ils culminent.

C'est l'amour, non l'espérance, qui fait vivre ; c'est la vérité, non la foi, qui libère.

Nous sommes déjà dans le Royaume : l'éternité, c'est maintenant.

Remerciements

Ce livre doit beaucoup aux amis qui l'ont suscité et accompagné : Nancy Huston, sans laquelle il n'existerait pas, Antoine Audouard, Marcel Conche, Susanna Lea, Patrick Renou, Sylvie Thybert, Tzvetan Todorov, Isabelle Vervey et Marc Wetzel. Qu'ils en soient vivement remerciés. Il doit aussi aux nombreux débats publics auxquels j'ai participé sur ces questions, dont deux ont fait l'objet d'une publication : *A-t-on encore besoin d'une religion ?*, avec Bernard Feillet, Alain Houziaux et Alain Rémond (Éditions de l'Atelier, 2003), et *Dieu existe-t-il encore ?*, avec Philippe Capelle (Le Cerf, 2005). Je les remercie, les uns et les autres, pour les échanges stimulants qui ont nourri une partie de ce livre.

Table

Dictionnaire philosophique, Paris, PUF, 2001.

Le capitalisme est-il moral?, Paris, Albin Michel, 2004, rééd. Paris, Le Livre de Poche, 2006.

La plus belle histoire du bonheur (en collaboration), Paris, Seuil, 2004.

La philosophie, Paris, PUF, coll. « Que sais-je ? », 2005.

La vie humaine (avec des dessins de Sylvie Thybert), Paris, Hermann, 2005.

Dieu existe-t-il encore ? (avec Philippe Capelle), Paris, Le Cerf, 2005.

Impression Bussière, décembre 2007
Editions Albin Michel
22, rue Huyghens, 75014 Paris
www.albin-michel.fr
ISBN 978-2-226-17273-0
N° d'édition : 25809. – N° d'impression : 073949/4.
Dépôt légal : octobre 2006.
Imprimé en France.